ДЛЯ ПОЛИНЫ

ОТ ЭРИКИ

С АНЁМ РОЖДЕНИЯ !

# Н. Н. Павлова

# *Готовимся* к ШКОЛЕ

ЭКСМО-ПРЕСС

МОСКВА

2001

УДК 882-93
ББК 81.2 Рус-920 + 22.130 Я70
П 12

ISBN 5-04-002317-0

# ПРЕДИСЛОВИЕ

### *Уважаемые взрослые!*

Вашему любознательному малышу уже 5 или 6 лет, и вы — любящие родители, заботливые бабушки и дедушки — часто задумываетесь: как и чему учить своего непоседливого почемучку? Вокруг так много учебных книг, все они хороши и интересны! Но как выбрать из этого многообразия ту книжку, которая поможет без особых трудностей подготовить ребёнка к школе, пробудить интерес к учёбе?

Надеемся, что добрым помощником вам и верным другом вашему ребёнку будет эта книга. Она объединяет в себе и «Азбуку», и «Математику», что, конечно, очень удобно для обучения. Ознакомившись с приведёнными ниже рекомендациями, даже не искушённые в методике родители легко научат своего малыша читать и считать. Увлекательные игры с забавными героями помогут приобрести необходимые знания, которые пригодятся в школе и повседневной жизни. Занимаясь с малышом по этой книге, вы будете помогать развитию его речи, памяти, внимания, логического и образного мышления.

Ваша задача — не дать малышу потерять интерес к учёбе! Подходите к занятиям творчески, чаще используйте имеющиеся знания ребёнка, его жизненный опыт. Не забывайте, что учёба — новый, сложный для малыша процесс, и некоторые трудности вполне естественны. Чаще хвалите, поощряйте маленького ученика, вместе с ним радуйтесь даже небольшим успехам. Если ребёнок не усвоил новый материал, не спешите двигаться дальше. Помните, что все дети обладают разным уровнем развития мышления, памяти, внимания, речи. При работе с книгой ориентируйтесь на индивидуальные особенности своего ребёнка.

## Работа с «Азбукой»

Старайтесь, чтобы время одного занятия не превышало 30 минут. Если ребёнок устал, сделайте небольшой перерыв, затем снова приступайте к работе. Объём материала на одной странице рассчитан на 1—2 занятия.

Рассмотрим особенности работы на каждом этапе обучения.

**Подготовка ребёнка к обучению чтению** *(стр. 10—15).*

Этот этап очень важен, хотя здесь ещё не происходит знакомства с буквами. Приобретённые знания и умения будут необходимы при обучении чтению и письму.

Нужно научить малыша различать слова в предложении (на слух), составлять схемы предложений, делить слова на слоги, определять количество слогов в слове, выделять звук из слова и устанавливать последовательность звуков, находить ударный слог в слове.

Следует познакомить ребёнка с терминами **предложение, слово, слог, звук, ударение** и учить употреблять их при выполнении упражнений.

*Стр. 10.* **Слово. Предложение.** Объясните ребёнку, что в разговоре мы используем отдельные **слова.** Рассмотрите рисунки в верхнем ряду и задайте вопрос: «Что это?» Объясните: всё, что ребёнок произнёс, — это слова (*корзина* — это слово, *гриб* — это слово, *дерево* — это тоже слово). Пока ребёнок не знает букв, слово будет обозначаться схемой ▭ . Пусть ребёнок рассмотрит рисунки во втором ряду и соотнесёт слова и схемы. Попросите малыша самостоятельно вспомнить и произнести какие-либо слова. Чаще всего дети называют предметы, которые видят вокруг (*стол, ручка, книга* и т.д.). Приведите примеры, когда слова обозначают признак предмета (*добрый, белый*), действие предмета (*сидит, играем*). Пусть ребёнок сам назовёт подобные слова.

Рассмотрите вместе с малышом рисунок на стр. 10 внизу. Спросите: «Что делают дети?» Добейтесь ответа: «Дети собирают грибы». Объясните: то, что произнёс сейчас ребёнок — **предложение.** Предложение состоит из слов. Рассмотрите схему этого предложения. ▭ ▭ ▭ . Назовите первое слово в предложении (*дети*) и покажите его на схеме (первый слева прямоугольник). Попросите ребёнка назвать следующее слово (*собирают*) и показать его на схеме (второй слева прямоугольник), назвать третье слово (*грибы*) и найти его на схеме. Вместе с ребёнком сосчитайте, используя схему, сколько слов в этом предложении. Обратите его внимание на то, что запись предложения ведётся слева направо. Сообщите, что в конце предложения ставится точка, а первое слово в предложении всегда начинается с большой буквы. Найдите на схеме эти обозначения.

Так нужно работать с каждой схемой предложения на других страницах книги.

*Стр. 11.* **Слоги.** Составьте предложения (используя рисунки и схемы) и работайте с ними, как указано выше.

Предложите ребёнку назвать то, что он видит на картинке слева (*шары*). Произнесите слово, деля его на части (*ша-ры*). Пусть ребёнок повторит слово так же, выделяя каждую часть хлопком в ладоши. Вместе сосчитайте, сколько частей в этом слове. Объясните, что каждая часть называется **слогом.** В слове *шары* — два слога. Рассмотрите схему слова. Обратите внимание ребёнка на то, что схема-прямоугольник делится на две части вертикальной чертой ▭ . Вместе с ребёнком найдите на схеме слог *ша*, слог *ры*.

Так же работайте со словами *качели, мяч, белка.* Деление на слоги можно сопровождать хлопками в ладоши (по количеству слогов). Заметьте, что в слове *мяч* — один слог (это слово не делится на части). Поупражняйтесь в делении на слоги слов, которые ребёнок назовёт сам.

*Стр. 12.* **Ударение.** Составьте предложение по указанной схеме (из трёх слов). Поработайте с этой схемой.

Попросите ребёнка назвать предмет, нарисованный в верхнем ряду слева. Произнесите слово *кукла,* выделяя силой голоса первый слог (*ку́к-ла*). Пусть ребёнок повторит слово так же. Укажите, что слоги в этом слове произносятся по-разному (первый — более протяжно и громко). Можно сказать, что на первый слог падает **ударение,** или что этот слог — ударный. Рассмотрите схему слова *кукла.* Покажите ребёнку знак ударения — короткую наклонную линию над первым слогом ▭ .

Аналогично работайте с остальными словами.

*Стр. 13.* Работайте со схемами предложений и схемами слов, упражняйтесь в делении слов на слоги и определении ударного слога.

*Стр. 14.* **Звук.** Работа со схемами слов.

Спросите ребёнка, как жужжит жук. Ребёнок в ответ произнесёт: *ж-ж-ж.* Объясните: [ж] — это звук.

Спросите: как рычит волк (*р-р-р*), как воет собака (*у-у-у*), как звенит комарик (*з-з-з*).

Объясните: всё, что произнёс ребёнок, — звуки ([ж] — это звук, [р] — это звук, [у] — это звук, [з] — это тоже звук). Каждый звук мы будем обозначать квадратом с точкой посередине ⊡.

Вместе с ребёнком рассмотрите рисунки. Произнесите слово *лук* очень медленно и протяжно: *л-л-у-у-у-к.* Попросите ребёнка повторить это слово так же. Произнесите слово ещё раз, силой голоса выделяя звук [л] — *л-л-ук.* Спросите, какой звук слышен в начале слова. Найдите на схеме слова первый слева квадратик, который обозначает звук [л].

Повторите слово ещё раз. Спросите, какой звук слышен после звука [л] (слышен звук [у]). Найдите на схеме второй квадратик. Ещё раз произнесите слово *лук,* выделяя голосом последний звук. Попросите ребёнка найти на схеме третий квадратик. Пусть он назовёт звуки по порядку и укажет на квадратики, которыми эти звуки обозначаются, а затем сосчитает, сколько в слове *лук* звуков, используя схему слова — ⊡⊡⊡ . Попросите показать квадратик, обозначающий звук [у]; квадратик, обозначающий звук [к]; квадратик, обозначающий звук [л].

Так же работайте с остальными словами.

*Стр. 15.* Повторение изученного.

**Знакомство с буквами** *(стр. 16—73).*

Начиная со стр.16 ребёнок знакомится с буквами, запоминает звуки, которые обозначает каждая буква, и учится читать слоги и слова по слогам. Это самый важный и ответственный период. Чтобы не допустить ошибок при занятиях, взрослому нужно помнить следующее.

Буква и звук — не одно и то же. **Звуки** мы произносим и слышим, а **буквы** — пишем и читаем. Буква — это знак, письменное изображение звука. Название буквы не всегда соответствует звуку, который эта буква обозначает. Например, буква «жэ» обозначает звук [ж], буква «ша» обозначает звук [ш]. Звуки бывают гласные ([а], [о], [у], [ы], [и], [э]) и согласные ([п], [р], [с] и др.). Часто одна буква обозначает два звука: например, в слове *был* буква «бэ» обозначает звук [б], а в слове *бил,* та же буква обозначает другой звук — [бь]. Дело в том, что отдельно взятая буква чаще всего не может быть прочитана. Для того чтобы правильно её прочитать, мы должны знать, какая буква написана дальше. Так, в слогах *ма* и *ми* буква «эм» читается по-разному (в первом случае — [м], во втором — [мь]). Объясняется это тем, что во втором слоге после буквы м пишется буква и, а она обозначает мягкость предшествующих согласных (например, *ти, си, ки, ри*). Кроме буквы *и,* мягкость предшествующих согласных обозначает буква ь (мягкий знак). Нужно помнить, что ь не обозначает отдельного звука (поэтому в слове *гусь* выделим три звука: [г], [у], [сь] ⊡⊡⊡).

Отдельно остановимся на особенностях йотированных букв. Таких букв в русском алфавите четыре — *е, я, ё, ю.* Если йотированные буквы стоят после согласных, они обозначают один звук и, кроме того, мягкость предшествующих согласных (в словах *нёс, пел, ряд* и др.). В начале слова и после гласной йотированная буква обозначает два звука (буква *е* — звуки [й], [э]; буква *я* — [й], [а]; буква *ё* — [й], [о]; буква *ю* — [й], [у]). Поэтому в слове *енот* (стр. 32) выделим пять звуков [квадрат со схемой] ([й], [э], [н], [о], [т]), хотя букв в этом слове четыре.

Таким образом, нужно помнить: **чтобы прочитать какую-либо букву, ребёнок должен увидеть и вспомнить, как читается следующая буква.** Поэтому нужно с самого начала учить малыша ориентироваться на последующую букву, **читать сразу слог.**

При знакомстве с каждой новой буквой ребёнок:

1) рассматривает рисунок в верхнем правом углу страницы, называет слово, обозначающее этот предмет, делит слово на слоги, показывает их на схеме, находит ударный слог;

2) считает, сколько в слове слогов и звуков;

3) рассматривает схему слова, произносит каждый звук по порядку и указывает на квадратик, обозначающий этот звук на схеме;

4) выделяет первый звук в слове (два первых звука при знакомстве с буквами *е, я, ё, ю*) и соотносит его с буквой;

5) читает слоги с новой буквой;

6) читает слова в столбиках;

7) читает тексты.

Нужно стремиться к тому, чтобы малыш с самого начала обучения ориентировался на так называемый **открытый слог** (согласная + гласная − *ма, ти, ре* и т.д.) как на единицу чтения. Это значит, что он не должен называть отдельно буквы в слогах, а должен вспомнить, какой звук обозначает первая буква, затем − какой звук обозначает вторая буква, и **читать слог сразу,** не делая остановок между звуками. Чаще напоминайте ребёнку: «Смотри на первую букву, потом на вторую, читай сразу слог».

В конце книги есть материал для чтения − небольшие стихотворения и рассказы. После прочтения каждого текста попросите малыша ответить на вопросы о прочитанном.

## Работа с «Математикой»

Кроме книги, вам понадобится следующее:

— счётные палочки;

— тетрадь в **крупную** клетку;

— набор цветных карандашей (6 штук) и простой карандаш;

— шариковая ручка;

— «Касса цифр». Её вы можете купить в магазине или сделать сами: вырежьте из картона или плотной бумаги карточки — прямоугольники размером 2 х 3 см. На карточках напишите цифры от 0 до 9 и знаки «+», «−», «=», «<», «>». Карточки сложите в конверт или спичечную коробку.

Постарайтесь, чтобы за время работы с книгой ребёнок смог:

— усвоить понятия, объясняющие взаимное расположение предметов в пространстве (*наверху, внизу, слева, справа, перед, после, между* и т. д.) и использовать их в повседневной жизни;

— усвоить пары противоположных понятий (*большой — маленький, высокий — низкий, длинный — короткий* и т. д.);

— научиться считать от 1 до 10 («в прямом направлении»), от 10 до 1 («в обратном направлении»), считать в прямом и обратном порядке, начиная с любого числа (например, от 3 до 10, от 9 до 1); называть число, следующее за данным числом при счёте; называть число, идущее при счёте перед данным числом; называть число, находящееся между данными числами; называть «соседей» данного числа;

— выучить цифры, уметь соотносить цифру с числом предметов, уметь писать цифры;

— научиться сравнивать две группы предметов, определять, в какой из них предметов больше, а в какой — меньше, знать знаки «=», «<», «>», уметь составлять и читать записи типа 5 > 3, 7 < 9;

— научиться сравнивать предметы по различным признакам (цвет, форма, размер и т. д.);

— понять смысл сложения и вычитания, читать и составлять записи типа 3 + 2 = 5, 7—1=6;

— усвоить все случаи получения чисел в пределах 5 (при сложении двух чисел) и запомнить случаи состава чисел от 2 до 5, например:

4 — это 1 и ещё 3        1 + 3 = 4
4 — это 2 и ещё 2        2 + 2 = 4
4 — это 3 и ещё 1        3 + 1 = 4

(запоминать все случаи состава чисел от 6 до 10 необязательно);

— усвоить приём прибавления единицы к числу и приём вычитания единицы из числа;

— узнавать геометрические фигуры: круг, треугольник, квадрат, прямоугольник, овал, ромб;

— усвоить понятия *стороны, углы, вершины многоугольника*.

Для того чтобы выполнить задание, прочитайте ребёнку текст, рассмотрите вместе с ним рисунок. Старайтесь добиться от малыша полного, обоснованного ответа, поощряйте рассуждения, поиск различных путей решения.

Те задания, где потребуются цветные или простой карандаши, отмечены значками

, . Здесь малыш будет раскрашивать, рисовать, дорисовывать, обводить, соединять линией, писать ответы и т. д. Такие задания не только связаны с темой каждого занятия, но и являются хорошей подготовкой руки ребёнка к написанию цифр. В конце уроков даны образцы заданий, которые нужно выполнять в тетради в крупную клетку ша-

риковой ручкой ( ). Перед выполнением заданий, помеченных этим значком, скопируйте узоры в тетрадь. Объясните ребёнку, что он должен продолжить начатый вами узор, внимательно рассмотрев его и уловив определённую закономерность (порядок).

Обязательно покажите ребёнку, как правильно держать карандаш, ручку. Перед тем как начать рисовать узор, полезно рассказать ребёнку, с чего начать, отрывать или не отрывать ручку от бумаги, в каком направлении выполнять движение.

Обучая ребёнка письму цифр, помните, что сначала ему нужно рассмотреть данный в книге образец (красной точкой на нём обозначено место, с которого начинают писать цифру, а стрелкой — направление движения), затем полезно «написать» цифру в воздухе, обвести написанную вами цифру на листе бумаги и только потом писать цифру в тетради.

Если ребёнок не смог продолжить узор (ошибся или запутался), не спешите двигаться дальше, пусть малыш попробует сделать это ещё раз. Помните, что задания с каждым уроком усложняются.

Обучая ребёнка счёту предметов, не забывайте, что на первых порах он будет помогать себе движением руки — ребёнок произносит число (один, два, три и т. д.) и указывает рукой на предмет. Постепенно у него выработается умение считать предметы «на глаз». При этом ребёнок должен понимать, что ответ на вопрос «сколько?» даёт последнее число, названное при счёте предметов. Напоминайте, что при счёте нельзя пропускать предмет и называть один предмет дважды.

При работе с порядковыми числительными нужно, чтобы ребёнок понял: порядковый номер предмета (первый, второй, третий и т. д.) зависит от направления, в котором проводится счёт.

При ознакомлении с новым числом обращайте внимание ребёнка на то, что оно получено прибавлением единицы к предыдущему числу. После ознакомления с новой цифрой и выполнения упражнений старайтесь закрепить знания: вместе с ребёнком находите знакомые цифры на окружающих предметах — домах, машинах, страницах книг и т. д.

Если ребёнок не до конца понял материал, выполните вместе с ним подобные задания дополнительно, а через несколько уроков вернитесь к трудной теме, повторите её. Не забывайте, что нельзя двигаться вперёд, не усвоив предыдущий материал.

## Игра

Обратите внимание на форзац в конце книги. Вы видите здесь **игру-путешествие**. Она поможет с пользой отдохнуть от занятий — играя, ребёнок закрепит полученный навык счёта.

Начинать играть можно после изучения числа 7 (с. 134).

Приготовьте кубик с нанесёнными на грани точками (от одной до шести) и фишки (пуговицы). Играть могут 2—4 человека. Цель игры: быстрее других попасть в городок аттракционов.

Правила очень просты. Играющие по очереди бросают кубик. Выпавшее на нём число точек укажет, сколько «шагов» нужно сделать («сделать 1 шаг» — передвинуть фишку-пуговицу на следующий кружок, «сделать 2 шага» — передвинуть фишку на 2-й по счёту кружок и т. д.). Если фишка попала на **красный кружок**, играющему не повезло: нужно вернуться назад, сделав указанное на стрелке количество «шагов». Если фишка оказалась на **зелёном кружке**, её владелец «шагает» вперёд. Когда фишка попадёт на **жёлтый кружок**, играющий должен пропустить один ход. Помните, что играть с ребёнком вы сможете не один раз.

Автор и создатели этой книги желают вам приятного и полезного путешествия по страницам книги, успехов в подготовке ваших малышей к школе.

### *В добрый путь!*

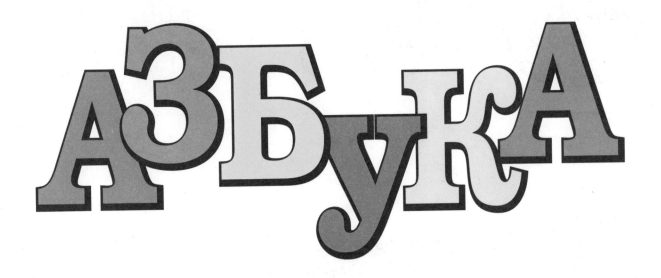

# АЗБУКА

Художник Елена Гальдяева

Посмотри на схемы слов. Догадайся, в какую корзину белочка собирает орехи, а в какую – шишки.

Имена мальчиков написаны на их флажках. Угадай, кто Миша, а кто Антон.

コ[ス゚]|コ|[ス゚]|ла

ба[ス゚]бチ|チ|ка ко|[ス゚]|рöва пау|[ス゚]|к

Посмотри на схему и догадайся, как зовут собаку – Рыжик или Пушок.

15

# Aa

## — А-а-а!

Положи в сумку только те покупки, название которых начинается со звука [а].

16

# Оо

| ́ | · | · |
|---|---|---|

**– О-о-о!**

Посмотри на схемы и угадай, как зовут девочек.

17

# Ии

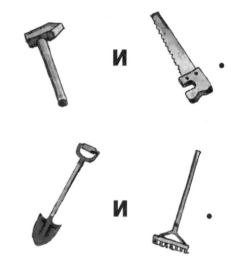

и .

и .

Угадай название каждого магазина.

# Ы

| · | · | · | ´ |
|---|---|---|---|

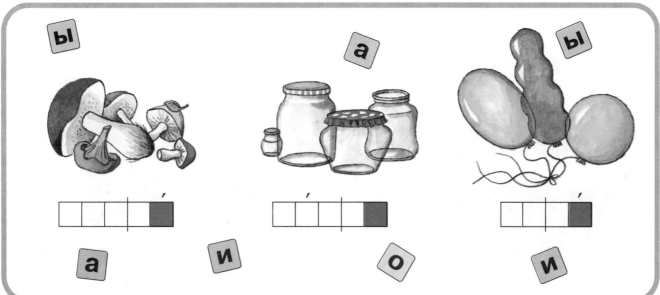

Догадайся, какие буквы должны быть в красных квадратиках.

# Уу

— У-у-у!

— Ау! Ау!

Помоги птицам найти нужную букву.

# Нн

| на | но | ни | ны | ну |
|---|---|---|---|---|

Ни́-на          о-на́          У Нины  .

Ѝн-на          о-ни́

Но́н-на          о-но́          У Нон-ны 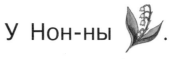 .

У А-ни  .

– На, Ин-на, ✏️ .

Ну и Ни-на!

21

# Сс

| **са** | **со** | **си** | **сы** | **су** |
|--------|--------|--------|--------|--------|

о-са́  
о́-сы  
у-сы́  

нос  
са́-ни  
на-со́с  

о-си́-ны  
со́с-ны  
а-на-на́с  

У А-си ⬜.  
У Са-ни на-сос.  

У нас са-ни.

осина          сосна

22

# Кк

| ка | ко | ки | ку |
|----|----|----|----|

ко-са́  
ки-но́  
ко́-ни  

сок  
ок-но́  
кис-ка  

о-со́-ка  
ка-ка́-о  
нос-ки́  

– На, сы-нок!  
Ко-си о-со-ку.  

У Со-ни ка-ка-о.  
У Са-ни сок.

# Тт

| та | то | ти | ты | ту |
|----|----|----|----|----|

| так | у́т-ка | но́-сит |
|-----|--------|---------|
| тут | а́-ист | ка́-тит |
| кит | кус-ты́ | ко́-тик |

У Та-ни кот.

Он ка-тит ⬜ .

Ну и ко-тик!

Тук-тук!

– Кто тут?

– А-ист.

у́т-ка        куст        ни́т-ка
у́т-ки        кус-ты́       ни́т-ки

Тут кус-ты.
У кус-та ут-ки.

У ок-на Ан-тон.
И о-сы тут как тут!

Догадайся, какой слог потерялся.

25

# Лл

| | | | | |
|---|---|---|---|---|
| **ла** | **ло** | **ли** | **лы** | **лу** |

| | | |
|---|---|---|
| лук | ко-ло́л | А́-лик |
| лил | но-си́л | То́-лик |
| и́-ли | ус-та́л | кло́-ун |

А-лик ко-лол  .

Ни-ки-та но-сил  .

Алик и Никита устали.

О-ко-ло сло-на клоун.
А тут ос-лик.

У То-ли-ка ко́ка-ко́ла. Он налил кока-колу в ста-кан.

Ната ис-ка-ла ли-ли-и.
А они у куста ка-ли-ны.

Ни-на  Ал-ла  Ли-на

– Ал-ло, Нина! Ты у Лины?

Помоги узнать, у кого в гостях Нина.

27

# Рр

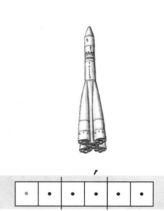

| ра | ро | ри | ры | ру |
|----|----|----|----|----|

сыр       у́т-ро       на-кры́л

рис        И́-ра        от-кры́л

рот        ра́-но      рас-ту́т

И-ра на-кры-ла стол. Тут рис и соус.
А тут сыр и сок.

28

| Лá-ра | и́-ри-сы | крот |
| Ри́-та | áст-ры | со-ро́-ка |
| Та-рáс | кра-со-тá | кро́-лик |

У Лары росли ирисы.
А у Риты – лук и салат.

Нас-та-ло утро.
Тарас от-крыл окно.
Ну и красота!

Сорока, утка, аист – ☐ .

Крот, лиса, кролик – ☐ .

# Вв

ва     во     ви     вы     ву

и́-ва        Во́-ва        во-ро́-та
вот         Ви́-ка        ко-ро́-ва
ло-ви́       И-ва́н        вы-со-ко́

Около ивы Вова и Иван. У Вовы окуни.
У Ивана караси. Вот так улов!

30

| НЫ НИ | СЫ СИ | ТЫ ТИ | ЛЫ ЛИ | РЫ РИ | ВЫ ВИ |
|---|---|---|---|---|---|

сли́-ва        ла́в-ка        вста́-ла
сли́-вы        ла́в-ки        нар-ва-ла́

Сли́вы рос́ли высо́ко.
Ви́ка вста́ла на ла́вку.
Она́ нарвала́ слив.
Как вкус-но!

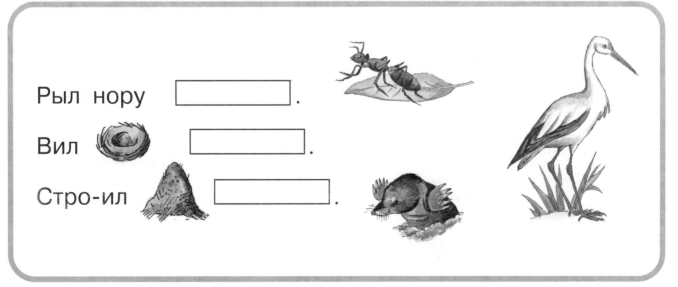

Рыл нору        _____ .

Вил        _____ .

Стро-ил        _____ .

# Ее

| | | | | |
|---|---|---|---|---|

ел       е́с-ли       ро́-ет

е́-ла       е-но́т       ла́-ет

Около ели Слава.

Он ест  .

Они та-ки-е вкус-ны-е!

**не**     **се**     **ке**     **те**     **ле**     **ре**     **ве**

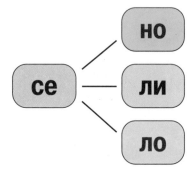

**ве** — **ник** / **нок** / **тер**

**се** — **но** / **ли** / **ло**

лé-то     вéт-ка     клéт-ка

ре-кá     сéт-ка     свет-лó

вé-тер     тéс-то     ле-тá-ет

Ворона села на ветку.
Валет лает на ворону.
А она не улетает.

се-ры-е

си-ни-е

крас-ны-е

**Кто ест сено?**

33

# Пп

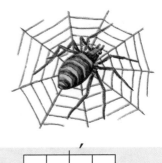

| **па** | **по** | **пи** | **пы** | **пу** | **пе** |

па́-па
по́-ни
пи-ла́

пе́-ли
ло-па́-та
то-по́р

По-ли́-на
по-ло́в-ник
пло́т-ник

Сева купил ка-пус-ту, лук и укроп. Полина варит суп.

У повара по-лов-ник.
У плот-ни-ка топор.

34

– Принеси пилу, Толик, – просит папа. – Она в сарае на полке.

Павлику купили плас-ти-лин. Павлик сле-пил по́ни и пав-ли-на.

Кепка упала в реку.

– Плыви скорее! – торопит Лена пса.

# М м

ма    мо    ми    мы    му    ме

má-ма          ми́с-ка          Ма-ри́-на
ми́-мо          Му́р-ка          ма-ли́-на
мы́-ло          мо́-ет           мо-ло-ко́

Рома купил молоко. Тома налила молоко в миску. И Мурка тут как тут!

Вот малина. Мы сами варим компот. Марина моет тарелки и стаканы.

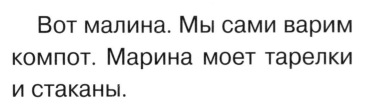

| ле́-том | сто-и́м | ме́л-ко |
| ло́-вим | ко́р-мим | Мак-си́м |

## Летом.

Мама от-пус-ти-ла нас с Мак-си-мом на реку. Около ивы мелко. Там мы плаваем и ловим раков.

Мы с Антоном стоим на мосту. К нам плывут утки. Мы кормим уток.

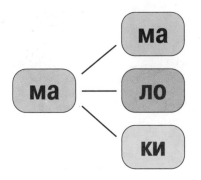

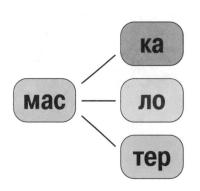

# Зз

**за**  **зо**  **зи**  **зы**  **зу**  **зе**

| | | |
|---|---|---|
| ва́-за | Зи́-на | ро́-за |
| зи-ма́ | Ли́-за | ро́-зы |
| зе́р-ка-ло | ко-за́ | ро́-зо-вы-е |

У Зины красные розы.
Она ставит розы в вазу.

После зимы – весна.
После весны – лето.
А после лета?

| са<br>за | со<br>зо | си<br>зи | сы<br>зы | су<br>зу | се<br>зе |
|:---:|:---:|:---:|:---:|:---:|:---:|

ра

за

са

| ко | |
|:---:|:---:|

| ко | |
|:---:|:---:|

| вниз | за-ле́з | поз-ва́л |
|---|---|---|
| кор-зи́-на | за-ле́з-ла | поз-ва-ла́ |
| Му́р-зик | за-ле́з-ли | поз-ва́-ли |

Мурзик залез на липу. Лиза позвала Рому. Рома спус-тил Мурзика в корзине вниз.

**Кто?**

летает

плавает

ползает

# Бб

| ба | бо | бы | би | бу | бе |
|---|---|---|---|---|---|

бы́-ли
бу́-сы
бо-бы́

бе́л-ка
би-ле́т
бар-су́к

тру-ба́
бра́-ли
бра́-тик

Мы были в зо-о-пар-ке. Там разные звери: барсы и зебры, зубры и барсуки.

---

**Посмотри на рисунки и вспом-ни сказ-ку.**

Буратино

папа Карло

Карабас-Барабас

| па ба | по бо | пы бы | пи би | пу бу | пе бе |

Возле леса озеро. В озере боб-ры. У боб-ров острые зубы.

Барбос

Барсик

У Севы кубики с буквами.
Сева собрал слова:

 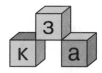

Помоги Севе составить последнее слово до конца.

41

# Дд

| да | до | ды | ди | ду | де |
|----|----|----|----|----|----|
|  |  |  |  |  |  |

| де́-ти | ды́р-ка | да-ле-ко́ |
|--------|---------|-----------|
| во-да́ | дуп-ло́ | у-ви́-дел |
| Ди́-ма | би-до́н | ду́-ма-ли |

Дети носили воду из пруда. Дима – в ведре. Дина – в бидоне. Мама поливала капусту и редис.

Стакан, миска, тарелка – посуда.

Диван, стол, кресло – ☐.

| та<br>да | то<br>до | ты<br>ды | ти<br>ди | ту<br>ду | те<br>де |
|---|---|---|---|---|---|

## Кто?

В доме [_____] .

Перед домом [_____] .

Над домом [_____] .

За домом [_____] .

далеко – близко

высоко – низко

быстро – [_____]

Денис подарил Диане куклу. Куклу зовут Барби. У Барби длин-ны-е волосы. Диана была рада.

# Яя

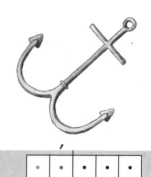

| | | |
|---|---|---|
| мо-я́ | Я́-ков | у́м-на-я |
| Зо́-я | я́р-ко | до́б-ра-я |
| Ра́-я | я́б-ло-ко | кра́с-на-я |

Вот моя собака Динка. Она умная и добрая. Динка знает команды: «Ко мне!», «Место!».

На яблоне созрели ярко-красные плоды. У Зои полная корзина яблок. Зоя дала Якову два яблока, а Яне – три.

| на ня | са ся | та тя | ла ля | да дя | ва вя | ба бя | за зя |
|---|---|---|---|---|---|---|---|

дя́-дя       мо-ря́к       я-ко-ря́
мо-ря́       зем-ля́       ре-бя́-та
по-ля́       пря́-мо       у-тя́-та

Дядя Коля – моряк. Он рас-ска-зал ребятам про моря и корабли. На бес-ко-зыр-ке у дяди Коли золотые якоря.

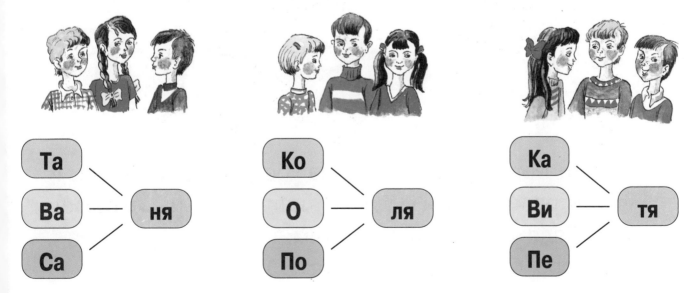

Та
Ва — ня
Са

Ко
О — ля
По

Ка
Ви — тя
Пе

# Гг

| | | | | |
|---|---|---|---|---|
| **га** | **го** | **ги** | **гу** | **ге** |

| | | |
|---|---|---|
| Га́-ля | гром | иг-ра́-ли |
| Ге́-на | град | бе́-рег |
| бе-ги́ | вдруг | заг-ре-ме́л |

Дядя Митя удил рыбу на берегу реки. Галя и Гена играли на лугу. Вдруг подул ветер. Загремел гром. Дядя Митя сказал детям:

— Скоро будет град. Бегите в дом.

| га ка | го ко | ги ки | гу ку | ге ке |
|-------|-------|-------|-------|-------|

В огороде на грядке [＿＿＿＿＿].

В саду на дереве [＿＿＿＿＿].

У Егора много книг. Недавно папа купил Егору сказку «Гуси-лебеди».

**Загадка.**

Много рук, а нога одна.

**Кто где?**

В пруду [＿＿＿＿＿].

На лугу [＿＿＿＿＿].

Во дворе [＿＿＿＿＿].

поросята

утята

телята

# Чч

| ча | чо | чу | чи | че |
|----|----|----|----|----|

ча-сы́     ча́с-то     мол-чи́т
чу́-до     чи́с-то     про-чти́
ту́-ча     ре́ч-ка     у́-чит-ся

Галя учит куклу:
– Смотри, Катя, вот буква **Ч**.
Прочти слова в «Азбуке»!
А Катя молчит.

**Кто?**

учит           мычит

лечит           рычит

чинит           чирикает

У нас на даче по-се-ли́л-ся свер-чок. Он пря-чет-ся на чердаке. Утром сверчок мол-чит, а вечером стре-ко́-чет.

Вера – Верочка

Лена – Леночка

Света – ⬚

утка – уточка

коза – козочка

белка – ⬚

Вера знает числа: один, два, три, четыре...

А что потом? Помоги Верочке. Назови числа далее.

**Ско-ро-го-вор-ка.**

Галдят грачата.
Кричат галчата.

49

# Ь

нь   сь   ть   ль   рь   вь   пь   мь   зь   бь   дь

| | | |
|---|---|---|
| день | у́-голь | ко́-рень |
| лось | о-го́нь | ле́-бедь |
| пыль | о-ле́нь | го́-лубь |

Коля чистит зубы. Надо чис-
тить зубы утром и вечером.

| | | |
|---|---|---|
| ку́-пит | во́-зит | но́-сит |
| ку-пи́ть | во-зи́ть | но-си́ть |

Птички за окном запели,
Игорь под-нял-ся́ с постели.
Никогда ему не лень
Начинать с зарядки день!

Утро, день, вечер, ночь – части суток.

50

У Васи конь.          У дороги пень.
У меня конь-ки́.       В лесу пень-ки́.

## Когда так говорят?

Долог день до вечера,
Коли делать нечего.

| | | |
|---|---|---|
| то́ль-ко | день-ки́ | ма́ль-чи-ки |
| пись-мо́ | зверь-ки́ | ма́-лень-ки-е |
| пы́ль-но | о-гонь-ки́ | го́рь-ки-е |

## На прогулке.

Мальчики и девочки гуляли в парке. Боря стал лепить снего-вика. У маленького Пети будет конь из снега. А Ольга слепила льва.

**Под-ни-мись по сту-пень-кам и спус-тись вниз.**

ме   мь
ре      рь
не      нь
зе      зь
се      сь
де      дь
те      ть

51

# Шш

| | | | . | | |
|---|---|---|---|---|---|

**ша**    **шо**    **шу**    **ши**    **ше**

| шар | Са́-ша | мы́ш-ка |
|---|---|---|
| шил | вы́-ше | шур-ши́т |
| наш | мы́-ши | де́-душ-ка |

  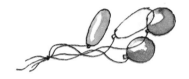

Дедушка купил Саше шары. Вдруг налетел ветер. Он вырвал шарики у Саши из рук. Летят шары выше и выше.

Мышь шур-шит в углу. Кот Пушок услышал шум. Он спешит к норке. Берегись, мышка!

| шо́р-ты | ма-ши́-ны | иг-ру́ш-ки |
| ми́ш-ка | ма-лы-ши́ | ля-гу́ш-ка |
| ши́ш-ки | ло-ша́д-ки | ли́ш-не-е |

– Что ты делаешь? – спросила белку лягушка.

– Грибы сушу, шелушу шишки, – отвечает белка. – Скоро зима. Вот я и спешу, запасы в дупло прячу.

## Игрушки.

У Паши много игрушек. Вот машины, лошадка, мишка. Даша и Гриша принесли кубики. Весело малышам играть вместе!

## Какое слово лишнее?

Шуба, шорты, сапоги, рубашка.

# Жж

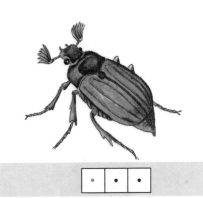

| жа | жо | жу | же | жи |
|----|----|----|----|----|

жар     жа́-ба     до́ж-дик

жук     жи́-ли     ну́ж-ны-е

жил     Жé-ня     сто-ро-жи́т

Сидит жаба под листом и жалуется:

– Ну и жара! Скорее бы дождик!

Дружок сторожит дом.

О́рлик возит тележку.

А Мурка что делает?

Кошка, собака, лошадь – до-маш-ни-е животные.

54

| ша жа | шо жо | шу жу | ши жи | ше же |

### Слад-ко-еж-ки.

Сегодня у Жени день рождения. Шура, Маша и Жанна пришли к нему в гости. Женя приглашает ребят к столу:

– Вот пирожки с грушами, вот джем из вишни, шоколад и мороженое. Садитесь за стол, дорогие гости!

## Кто?

шипит
мычит
жужжит

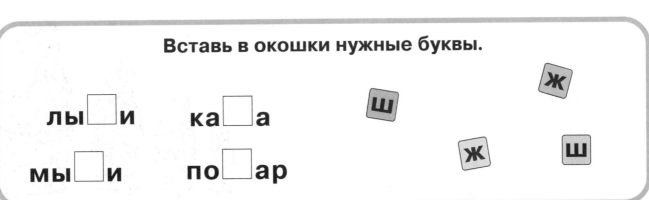

**Вставь в окошки нужные буквы.**

лы☐и      ка☐а      **ж**

**ш**

мы☐и      по☐ар      **ж**      **ш**

# Ёё

ёж ёл-ка мо-ё по-ёшь
ёрш ёл-ки тво-ё да-ёшь

Около ёлки ёжик и енот.
Енот играет на баяне.
Ёжик поёт песенки.

**нё лё рё мё вё пё дё тё зё сё шё**

жи-вёт зе-лё-на-я Бу-рён-ка
не-сёт ве-сё-ла-я те-лё-нок
и-дёт тёп-ла-я А-лё-на

У Алёны живёт забавная кукла. Внутри у куклы прячутся её младшие сёстры. А зовут сестёр одинаково – матрёшки.

## На реке.

Сегодня тёплая погода. Мы идём на пляж. У тёти Оли – мяч и ракетки. Женя несёт вёсла. Рядом бежит наш пёс Вилька. Мы поплывём на лодке к острову.

На лугу сочная зелёная трава. Рядом течёт быстрая речка. А вот корова Бурёнка и её телёнок.

– Му-у-у! – зовёт малыш Бурёнку. – Смотри, какие красивые ромашки я нашёл.

**Кто?**

летит
плывёт
идёт
ползёт

# Йй

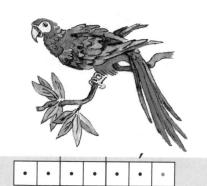

| · | · | · | · | · | ·́ | · |
|---|---|---|---|---|---|---|

мой      у́-лей      по-дой-ди́

чай      са-ра́й      во-ро-бе́й

пой      по-пу-га́й      зе-лё-ный

## Кеша.

У Стёпы живёт зелёный попугай Кеша. Кеша очень умный и весёлый. Однажды на окошко сел воробей. Смотрит он на Кешу, у-див-ля-ет-ся: что за птичка?

– Добрый день, – говорит Кеша. – Залетай в гости, не робей!

Составь из кубиков три слова.

Вот моя [          ].

Вот мой [          ].

Вот моё [          ].

## На па́секе.

Дедушка Сергей – пасечник. Он показал мне улей. Улей – домик, в котором живут пчёлы. Я испугался, что пчёлы ужалят меня.

– Не бойся, подойди ближе, – сказал дедушка.

Он дал мне банку. В ней густой мёд. Я отнесу мёд домой.

### До-га-дай-ся.

Какой гриб самый высокий?

Какой гриб самый низкий?

Какой гриб самый толстый?

Какой гриб самый тонкий?

# Xx

| ха | хо | ху | хи | хе |

пух         ти́-хо         хо-мя́к

мох         го-ро́х        хо́-дит

мех         о-ре́-хи      вы-хо́-дит

## Хомка.

У Ани живёт хомяк. Его зовут Хомка. У хомяка рыжий мех и чёрные глазки. Аня дала Хомке кусочки морковки. Он схватил их и унёс в свой домик.

Кто входит в магазин?      Кто отходит от киоска?

Кто выходит из магазина?    Кто подходит к киоску?

Делу время – потехе час.
Худо тому, кто добра не делает никому.

| пе-ту́х | хму́-ры-е | хра́б-ры-е |
| вверх | лох-ма́-ты-е | хи́т-ры-е |
| че-пу-ха́ | хо-ло́д-ны-е | пло-хи́-е |

Как-то летом вышел петух погулять. По хмурому небу лохматые облака бегут. А двор весь белый-белый, словно от снега.

– Зима вернулась! – закричал петух.

– Чепуха! – сказала утка. – Посмотри вверх – тополиный пух летит.

61

# Юю

Ю́-ля     ю́б-ка     иг-ра́-ют

Ю́-ра     ю́-ный     сво-ю́

ю-ла́     ю́н-га     по-мо-га́-ют

Дети играют во дворе. У Юли юла. Варя принесла свою куклу Зою. Юра и Вадим помогают Руслану строить домик.

сто-ю́     ку-па́-ют     со-би-ра́-ют

ро́-ют     ка-та́-ют     бро-са́-ют

да-ю́т     гу-ля́-ют     пой-ма́-ют

| ЛУ ЛЮ | МУ МЮ | ЗУ ЗЮ | РУ РЮ | ТУ ТЮ | НУ НЮ |

ва-рю́
пи-лю́
лю́-ди

у-тю́г
и-зю́м
ин-дю́к

клю́к-ва
крю-чо́к
тюль-па́н

Я знаю почти все буквы. Скоро я смогу сам прочитать любую книгу и любой журнал. А потом я научу читать мою младшую сестру Люсю.

Умелые руки не знают скуки.

## Скороговорка.

Варюшка для Валюшки
печёт плюшки и ватрушки.

63

# Цц

| ца | цо | цу | цы | це | ци |
|----|----|----|----|----|----|

| цепь | цирк | цве-то́к |
|------|------|---------|
| ли-цо́ | пе́-рец | крыль-цо́ |
| ов-ца́ | ме́-сяц | цып-лё-нок |

## Цветовод.

Настя очень любит цветы. У неё дома растут кактусы, герань и розы. Настя ухаживает за цветами, поливает их. Целый месяц цвела у Насти красная роза.

На крыльцо вышла Света. В руках у неё миска с зерном.

– Цып-цып-цып! – зовёт Света курицу и цыплят.

си-ни́-ца     пте-не́ц     гу́-се-ни-ца

си-ни́-цы     птен-цы́     гу́-се-ни-цы

У Наташи ножницы, цветная бумага и клей. Наташа сделала игрушечный дворец. В нём будут жить принц и принцесса.

## Синица.

Целый день хлопочет синичка в саду. Она собирает вредителей леса – гусениц и несёт их своим птенцам. Синица – очень полезная птица.

Сахарница – для сахара.

Песочница – для песка.

А для чего мыльница?

65

# Ээ

э-то      э-та́ж      эс-ки-мо́
э́-хо      Э́-дик      по-э́-то-му
э́-тот     Э́м-ма      э-лек-три́-чест-во

## Эхо.

В тихую погоду в горах, в лесу или на речке гуляет эхо. Многие его слышали, но никто не видел. Если громко крикнуть, эхо услышит и ответит.

крот – рот       Таня – Аня
шмель – мель     Поля – Оля
клей – лей       Вася – Ася

В этом доме пять этажей.

На первом этаже живёт Эдик.

На втором этаже – Петя.

А где живут Элла, Люда, Антон?

## Э-лек-три-чес-ки-е приборы.

Этот прибор нужен, чтобы гладить одежду.

Этот – чтобы кипятить воду.

А этот?

Андрюша и Эмма купили эскимо. Положили они эскимо на блюдце и думают: как его делить? А пока думали, оно растаяло. Только палочка осталась.

# Щщ

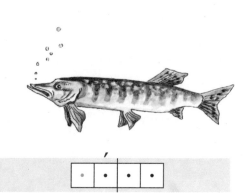

**ща**    **щу**    **ще**    **щё**    **щи**

щу́-ка    ще-но́к    плащ

ро́-ща    ща-ве́ль    по́-мощь

е-щё    щёт-ка    то-ва́-рищ

## Сорока.

Сорока любит блестящие вещи. Всё, что блестит, тащит сорока к себе в гнездо.

Как-то Люба играла в саду и забыла на лавочке зеркальце. Вернулась Люба через полчаса, а зеркала нет. Ищет его Люба, найти не может. А зеркало уже у сороки в гнезде.

# Кто где?

| | |
|---|---|
| Плещутся в реке | щеглы и скворцы. |
| Щебечут в роще | лещи и щуки. |

| | | |
|---|---|---|
| и-щу́ | та-щу́ | пи-щу́ |
| и́-щет | та́-щит | пи-щи́т |

## Не-пос-луш-ный щенок.

Мой щенок Бим гулял в роще. Я не мог его найти. Вдруг слышу – под кустом кто-то пищит. Да это же Бим! Хорошо, что он не убежал в чащу леса. Там его не отыщешь.

**Найди место для каждой буквы.**

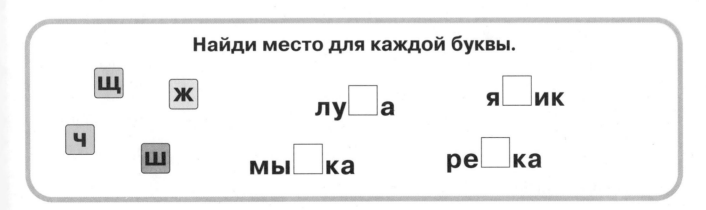

# Фф

**фа    фо    фу    фы    фи    фе    фё**

фа́-ра          фи-а́л-ка        фут-бо́л
фо́-кус         ко́ф-та          са-ра-фа́н
фи́-кус         фильм           про-фе́с-си-я

## Мамина помощница.

Сначала Фаина полила фикус и фиалки. Затем почистила туфли и ботинки. После этого она убрала в шкаф сарафан, кофту и шарф.

Теперь можно и отдохнуть. Фаина включила телевизор. Она смотрит мультфильм про Золушку и добрую фею.

70

Аля и Федя – брат и сестра. Дети занима-
ются спортом. Федя играет в футбол, а Аля –
фи-гу-рист-ка.

## Чудо-звери.

Костя видел фильм про
Африку. Больше всего маль-
чику понравились жираф и
зебра. Костя нарисовал этих
животных. Вот они.

Как ты думаешь, в чём
ошибся Костя?

| шофёр | продавец | фотограф |
|---|---|---|

**Какие ещё профессии ты знаешь?**

# Ь

брат – бра́тья          перо́ – пе́рья
стул – сту́лья          крыло́ – кры́лья

Вот рыжая лиса.
Под кустом лисья нора.

Наступила ночь.
Филин охотится ночью.

Около дома ель.
Под елью лавочка.

**Осенью.**

Вот и октябрь. Не слышно птичьих песен. Днём и ночью льёт дождик. С деревьев облетают листья.

# Ъ

съест      отъе́хали      съёжился
объе́зд      объясни́л      объяви́л

Дарья ела грушу.
Ульяна съела две груши.

Мы ехали на дачу.
Машина отъехала от подъезда.

## На прогулке.

Илья и Олег отправились кататься на лыжах. Они въехали в лес. За лесом поля и овраги. Илья съехал с горы. А вверх подняться трудно. Подъём слишком крутой.

Д. Хармс

# Кораблик.

По реке плывёт кораблик.
Он плывёт издалека.
На кораблике четыре
Очень храбрых моряка.

У них ушки на макушке,
У них длинные хвосты,
И страшны им только кошки,
Только кошки и коты.

## Добрая утка.

Реку переплыли
Ровно в полминутки:
Цыплёнок на утёнке,
Цыплёнок на утёнке,
Цыплёнок на утёнке,
А курица на утке.

## Васильки.

Рано утром у реки
Распустились васильки:
Пять – на левом берегу,
Пять – на правом берегу.
Я цветочки-василёчки
Сосчитать легко могу,
Потому что пять да пять
Будет десять... Как не знать?

В. Степанов

# Весна.

Уж тает снег, бегут ручьи,
В окно повеяло весною...
Засвищут скоро соловьи,
И лес оденется листвою!

Чиста небесная лазурь,
Теплей и ярче солнце стало,
Пора метелей злых и бурь
Опять надолго миновала.

А. Плещеев

# На лугу.

Леса вдали виднее,
Синее небеса,
Заметней и чернее
На пашне полоса,
И детские звончее
Над лугом голоса.

Весна идёт сторонкой,
Да где ж сама она?
Чу, слышен голос звонкий,
Не это ли весна?
Нет, это звонко, тонко
В ручье журчит волна...

А. Блок

# Муравей и голубка.

Басня

Муравей спустился к ручью: захотел напиться. Волна захлестнула его и чуть не потопила. Голубка несла ветку; она увидела – муравей тонет, и бросила ему ветку в ручей. Муравей сел на ветку и спасся. Потом охотник расставил сеть на голубку и хотел захлопнуть. Муравей подполз к охотнику и укусил его за ногу; охотник охнул и уронил сеть. Голубка вспорхнула и улетела.

Л. Толстой

# Собака и её тень.

Басня

Собака шла по дощечке через речку, а в зубах несла мясо. Увидала она себя в воде и подумала, что там другая собака мясо несёт, – она бросила своё мясо и кинулась отнимать у той собаки: того мяса вовсе не было, а своё волною унесло.

И осталась собака ни при чём.

Л. Толстой

# Лиса и кувшин.

Русская народная сказка

Вышла баба на поле жать и спрятала за кусты кувшин с молоком. Подобралась к кувшину лиса, всунула в него голову, молоко вылакала. Пора бы и домой, да вот беда – головы из кувшина вытащить не может. Ходит лиса, головой мотает и говорит: «Ну, кувшин, пошутил, да и будет – отпусти же меня, кувши́нушко! По́лно тебе, голубчик, баловать – поиграл, да и по́лно».

Не отстаёт кувшин, хоть ты что хочешь. Рассердилась лиса:

«Погоди же ты, проклятый, не отстанешь честью, так я тебя утоплю».

Побежала лиса к реке и давай кувшин топить. Кувшин-то утонуть утонул, да и лису за собой потянул.

Обработка К. Ушинского

80

Мышка вышла гулять. Ходила по двору и пришла опять к матери.

– Ну, матушка, я двух зверей видела. Один страшный, а другой добрый.

Мать сказала:

– Скажи, какие это звери?

Мышка сказала:

– Один, страшный, ходит по двору вот этак: ноги у него чёрные, хохол красный, глаза навыкате, а нос крючком. Когда я мимо шла, он открыл пасть, ногу поднял и стал кричать так громко, что я от страха не знала, куда уйти.

– Это петух, – сказала старая мышь. – Он зла никому не делает, его не бойся. Ну, а другой зверь?

– Другой лежал на солнышке и грелся. Шейка у него белая, ножки серые, гладкие, сам лижет свою белую грудку и хвостиком чуть движет, на меня глядит.

Старая мышь сказала:

– Дура, ты дура. Ведь это сам кот.

Л. Толстой

## Самые лучшие груши.

Басня

Один барин послал слугу за грушами и сказал ему:

– Купи мне самых хороших.

Слуга пришёл в лавку и спросил груш. Купец подал ему, но слуга сказал:

– Нет, дай мне самых лучших.

Купец сказал:

– Отведай одну, ты увидишь, что они хороши.

– Как я узнаю, – сказал слуга, – что они все хороши, – если отведаю только одну?

Он откусил понемногу от каждой груши и принёс их барину. Тогда барин прогнал его.

Л. Толстой

# Играющие собаки.

Володя стоял у окна и смотрел на улицу, где грелась на солнышке большая собака Полкан.

К Полкану подбежал маленький Мопс и стал на него кидаться и лаять: хватал его зубами за огромные лапы, за морду и, казалось, очень надоедал большой и угрюмой собаке.

– Погоди-ка, вот она тебе задаст! – сказал Володя. – Проучит она тебя.

Но Мопс не переставал играть, а Полкан смотрел на него очень благосклонно.

– Видишь ли, – сказал Володе отец. – Полкан добрее тебя. Когда с тобою начнут играть твои маленькие братья и сёстры, то непременно дело кончится тем, что ты их приколотишь. Полкан же знает, что большому и сильному стыдно обижать маленьких и слабых.

К. Ушинский

**Дорогой малыш!**

За обложками книг прячется волшебный мир
сказок, знаний, приключений. Но заглянуть в него
может только тот, кто умеет читать.
Теперь этот мир откроется и для тебя.
Смелее в путь!

# МАТЕМАТИКА

Счёт до 10, числа 0–10
Состав чисел
Сравнение чисел
Сложение и вычитание
Подготовка к решению задач
Геометрические фигуры

*Художник Пётр Северцов*

Для чтения взрослыми детям

Дорогой малыш! Перед тобой интересная, полезная и необычная книга. Ты можешь не только рассматривать рисунки, но и выполнять занимательные задания, раскрашивать цветными карандашами картинки, играть.

Познакомься с Витей и его сестрой Катюшей. Они помогут тебе учиться. Будь внимательным и аккуратным, и тогда ты сможешь помогать Кате и Вите.

Катя уже умеет считать до пяти: один, два, три... А как дальше? Сосчитай.

1. Сегодня Катя и Витя решили пойти в зоопарк. Они купили билеты, и контролёр пропустил их. Чтобы ты смог попасть в зоопарк, выбери билет, на котором одна полоска.

2. Наши друзья гуляют по зоопарку и рассматривают зверей и птиц. Витя решил посчитать, сколько животных в каждой клетке. Давай посчитаем вместе. Сколько здесь слонов?

Правильно, **один**.

3.  Посчитай, сколько тигров греется на солнышке? Для этого показывай на каждого тигра по очереди, называя: один, **два**. В зоопарке два тигра.

4.  Катя и Витя не испугались крокодилов. Витя даже смог сосчитать, сколько их: один, два, **три**. Значит, здесь три крокодила.

5.  Хитрые обезьяны спрятались на деревьях. Сколько обезьян ты видишь? Считай, не пропуская ни одной, по порядку: один, два, три, **четыре**. На ветках четыре обезьяны.

6. Ты знаешь, как называются эти чудо-птицы?

Правильно, павлины. Посчитай, сколько здесь павлинов. Показывай на каждую птицу по очереди, ни одной не пропуская, и считай: один, два, три, четыре, **пять**. Сколько всего павлинов?

Раскрась павлина.

7. Куда приведёт дорожка, по которой идут Витя и Катя?

1. Сегодня Витя и Катя отправились за покупками в магазин «Игрушки». Магазин находится в большом доме зелёного цвета. Проведи дорожку к двери магазина.

2. Дети поднимаются по ступенькам, считая их. Посчитай ступеньки и ты.

3. Малышам очень понравились мячи. Катя выбрала себе самый большой мяч. Найди его на рисунке и раскрась синим карандашом.

У Вити — самый маленький мячик. Раскрась Витин мяч жёлтым карандашом.

89

4. Как много игрушек на полках! А сколько среди них кукол? Витя решил, что кукол четыре, а Катя думает, что кукол пять.

Кто из детей прав?

5. С покупками дети возвращаются домой.

Посчитай, сколько шаров у Вити и сколько шаров у Кати. Раскрась их так, чтобы все шары у Вити были разного цвета, а все Катины шары были одинаковыми.

6. Обведи рисунок по точкам.

# Цвет, форма, размер. Геометрические фигуры — круг, треугольник, квадрат.

1. Витя и Катя придумали сказочный город. Назови фигуры, которые понадобились для «строительства» каждого дома.

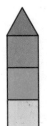 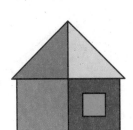 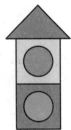 

2. Попробуй сложить из счётных палочек квадраты и треугольники. Тебе поможет рисунок.

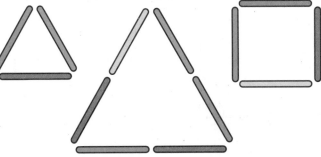 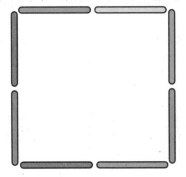

3. Посмотри вокруг. Оказывается, нас окружают предметы, похожие на круг, треугольник, квадрат. Например, про тарелку можно сказать, что она **круглой формы**, про экран телевизора, что он **квадратной формы**.

Поищи в своей комнате вещи, похожие на наших знакомых — круг, треугольник, квадрат. Найди на рисунке вещи круглой, квадратной, треугольной формы.

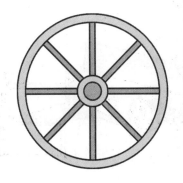  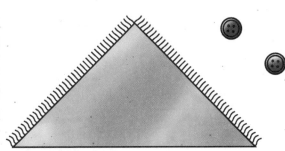

4. Сколько домов на Лесной улице? Посчитай их, начиная с домика зайца. А теперь начни счёт с домика медвежонка. Сколько получается?

5. Раскрась кубики.

6. Помоги Вите построить забор до конца.

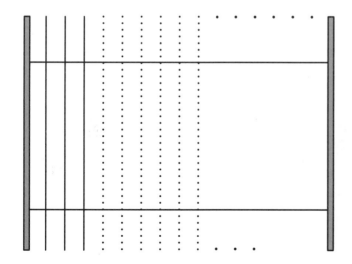

## Сравнение групп предметов. Понятие «столько же».

1. Рассмотри картинки.

Ты заметил, что около каждой ёлочки — гриб? Значит, можно сказать, что ёлочек **столько же, сколько** грибов; или что грибов и ёлочек **поровну**.

2. Можно ли сказать, что:
   — ёжиков столько же, сколько яблок?
   — цветов и листочков поровну?

93

3. Катюша и Витя собирают грибы. Витя поставил свою корзину на высокий пенёк, а Катя свою корзину — на низкий пенёк. Раскрась Витину корзину в жёлтый цвет, а Катину — в коричневый.

Кто сидит на высоком дереве?

Кто сидит на низком дереве?

4. Сложи из счётных палочек низкую ёлочку. Тебе поможет рисунок. Рядом сложи высокую ёлку.

5. Обведи рисунок по точкам.

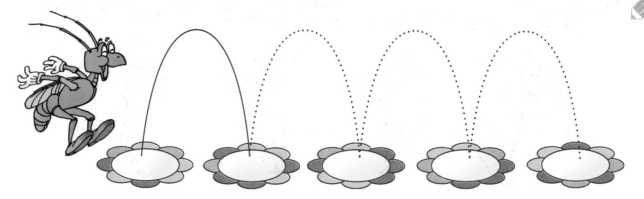

1. Посмотри на картинку и сосчитай:
   — сколько в комнате стульев;
   — сколько окон;
   — сколько столов.

2. Посмотри вокруг и найди в своей комнате предмет, про который можно сказать, что он один.

   Чтобы написать, что предмет один, используют такую цифру:

3. Обведи карандашом:
   — один треугольник;
   — одну ёлочку;
   — один квадрат.

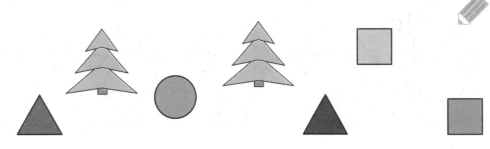

4. Найди и раскрась цифру 1.

5. Раскрась широкие предметы синим карандашом, а узкие — красным.

6. Можно ли сказать, что цветов столько же, сколько вазочек? Чтобы узнать это, соедини каждый цветок с вазой.

7. Обведи рисунок по точкам.

1. Посчитай, сколько цветов выросло на клумбе. Дорисуй ещё один цветок. Сколько цветов стало?

Чтобы написать, что предметов два, используют эту цифру:

2. Помоги Кате: обводи карандашом по столько кружков, сколько показано на рисунке.

3. Найди и раскрась цифру 2.

97

4. Витя собрался на прогулку.

«Не забудь взять пару перчаток», — напомнила ему Катя.

Взял Витя перчатки и задумался: «Что такое "пара"?»

А ты знаешь? Правильно, пара — это два предмета.

Найди и обведи пары предметов.

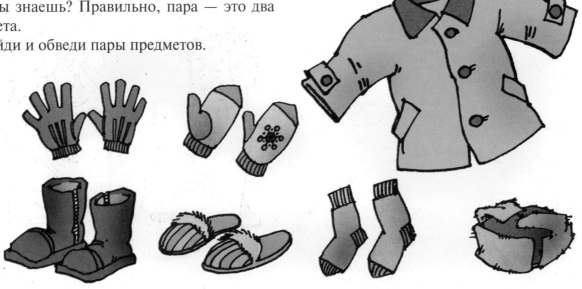

5. Посчитай, сколько предметов на каждом рисунке, и положи рядом карточку с нужной цифрой.

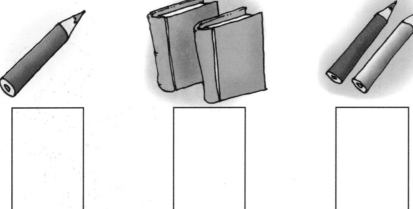

6. Обведи рисунок по точкам.

98

1. Соедини каждую чашку с блюдцем так, как показано на рисунке. Посмотри, какой предмет остался лишним.

Как ты думаешь, чего больше — блюдец или чашек? Почему?

2. Узнай, чего больше — вилок или ложек? Тарелок или банок?

3. Нарисуй столько кругов, сколько указано цифрой.

| 2 | 1 | 1 | 2 |

**4.** Раскрась длинные предметы зелёным карандашом, а короткие — жёлтым.

**5.** Какую фигуру нужно положить, чтобы продолжить узор?

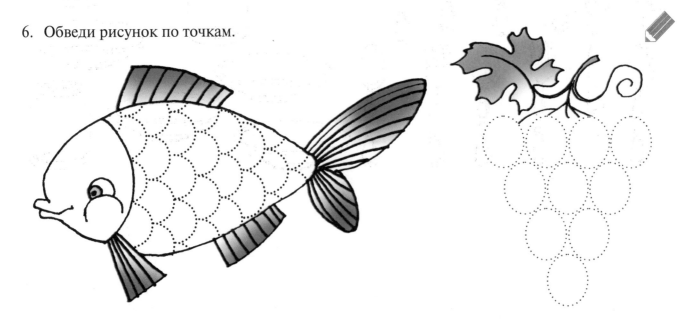

**6.** Обведи рисунок по точкам.

# Числа 1, 2. Повторение изученного.

1. Можно ли сказать, что медвежат и зайчат поровну?

Можно ли сказать, что медвежат больше, чем зайчат?

Кого меньше — зайчат или медвежат?

2. Витя хотел нарисовать столько ягод, сколько указано цифрой.

Проверь, не ошибся ли он? Дорисуй ягоды там, где нужно.

  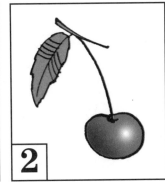 

3. Какое у Вити ведро: большое или маленькое?

Катя сидит под высоким деревом, а Витя — под каким?

У кого удочка короткая?

У кого удочка длинная?

4. На тарелке лежали конфеты.

Пришла Катя и съела несколько конфет. Какие конфеты съела Катя?

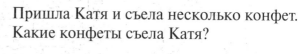

5. Обведи рисунок по точкам. Дорисуй.

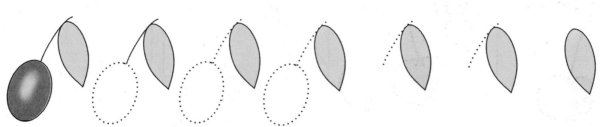

1. Посчитай, сколько цветов растёт на клумбе. Нарисуй ещё один цветок. Посчитай, сколько их теперь.
Число три обозначается такой цифрой:

2. Найди и раскрась цифру 3.

3. Обведи.

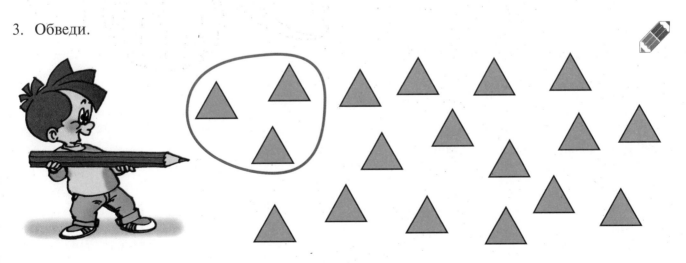

103

4. Узнай, кого меньше — жуков или бабочек?

5. Посмотри, как получилась новая фигура. Её называют овал.

Найди на рисунке предметы овальной формы.

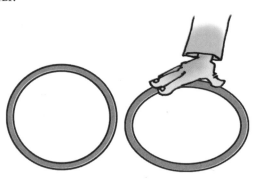

6. Посчитай, сколько на рисунке квадратов. Раскрась самый маленький квадрат.

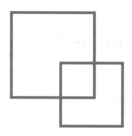

7. Нарисуй на верхней линии три круга. Нарисуй на нижней линии три квадрата. Можно ли сказать, что кругов столько же, сколько квадратов? Нарисуй на нижней линии ещё один квадрат. Чего стало больше — кругов или квадратов?

8. Найди 3 отличия.

9. Что нужно сделать, чтобы кругов стало больше, чем овалов?

Катя думает, что нужно убрать один овал или несколько овалов.

Витя думает, что нужно добавить ещё один круг или несколько кругов.

Кто из детей прав?

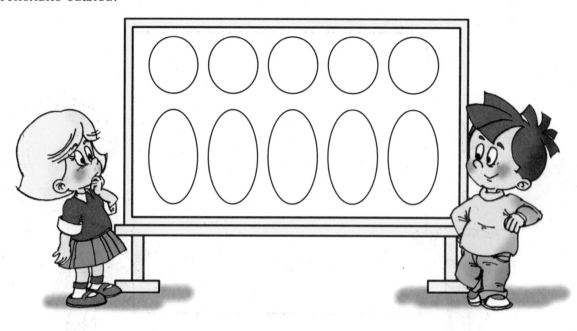

10. Обведи рисунок по точкам.

1. Нарисуй под картинкой **столько же** треугольников, сколько ёлок в лесу.

Нарисуй под картинкой **столько же** кругов, сколько в лесу берёз. Чего меньше — треугольников или кругов?

2. Посчитай, сколько предметов на каждом рисунке, и положи рядом карточку с нужной цифрой.

3. «Да» или «нет»?
   Шарф шире ленты?
   Ведро меньше кувшина?
   Жираф выше дома?
   Карандаш длиннее ручки?

4. А твой карандаш длиннее или короче ручки? Проверь. Для этого положи ручку и карандаш на стол так, чтобы концы ручки и карандаша были рядом. Тебе поможет рисунок.

5. Дорисуй так, чтобы:
   — кругов у Кати было столько же, сколько у Вити;
   — овалов у Кати было больше, чем у Вити;
   — квадратов у Кати было меньше, чем у Вити.

6. Найди и раскрась спрятавшихся в листве бабочек.

7. Какую фигуру нужно выбрать, чтобы продолжить узор?

8. Найди на рисунке знакомые цифры.

9. Обведи рисунок по точкам.

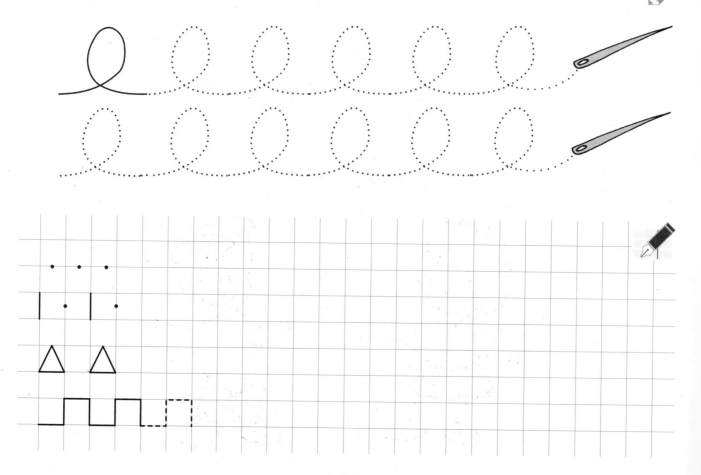

1. Посчитай, сколько цветов на клумбе. Нарисуй ещё один цветочек. Сколько цветочков стало?

Чтобы написать, что цветочков четыре, используют эту цифру:

2. Обведи.

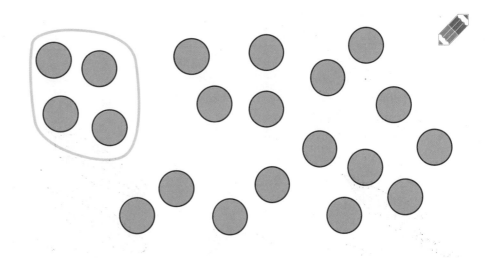

3. Найди и раскрась цифру 4.

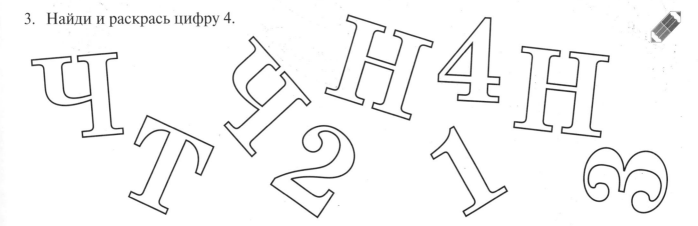

4. Вместе с Витей поднимись и спустись по ступенькам, называя числа.

5. Посчитай, сколько овощей нарисовано. Положи рядом с каждым рисунком карточку с нужной цифрой.

Каких овощей больше всего?
Каких овощей меньше всего?

6. **Посчитай**!

Сколько ног у воробья?

Сколько солнышек на небе?

Сколько лап у кота?

Сколько колёс у велосипеда?

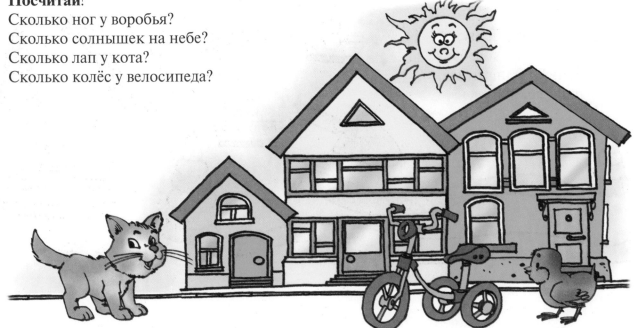

7. Витя сложил из палочек такую фигуру:

Она называется **прямоугольник**.

Попробуй сложить прямоугольник из счётных палочек.

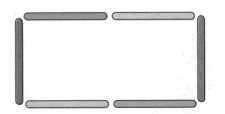

8. Найди и раскрась предметы прямоугольной формы.

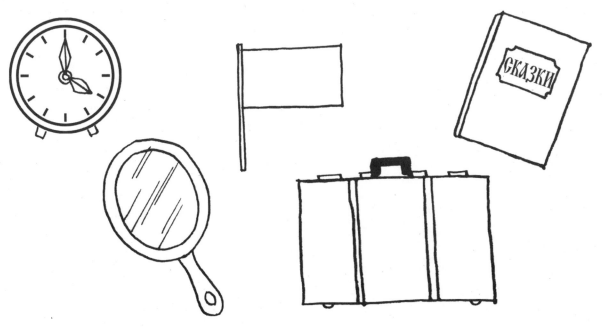

113

9. **«Самые-самые».**
Найди:
— самую длинную ленту;
— самый большой кораблик;
— самую низкую пирамиду;
— самый широкий совок.

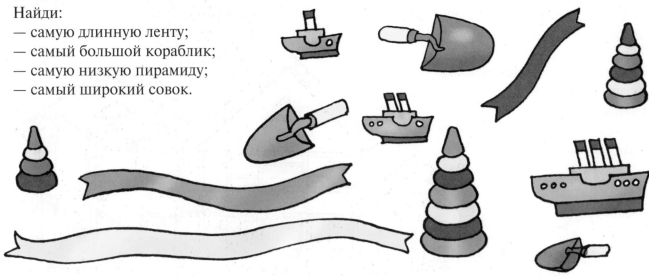

10. Хватит ли Кате кирпичиков, чтобы построить такой дом?

1. Какая цифра написана на карточке у Вити? Хлопни в ладошки 3 раза.

   Положи на стол столько палочек, сколько просит Катя. Убери одну палочку. Посчитай, сколько палочек осталось. Убери ещё одну палочку. Посчитай, сколько палочек осталось теперь.

2. Сколько ягод на каждой веточке? Соедини рисунки с нужной цифрой.

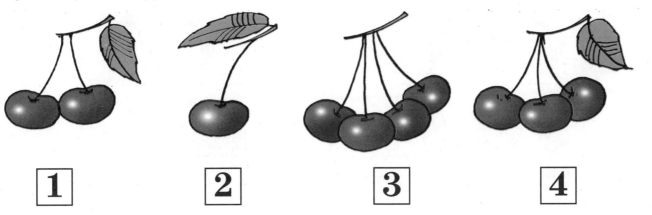

3. Сделай рисунки одинаковыми.

4. Посчитай, сколько синих кубиков.

Посчитай, сколько зелёных кубиков.

Можно ли сказать, что синих кубиков столько же, сколько зелёных?

Показать, что предметов столько же (или **одинаковое количество**), нам помогает знак, который держит Катя. Этот знак называется **«равно»**. Катя поставила знак « = », чтобы показать, что синих и зелёных кубиков поровну.

5. Положи там, где нужно, карточку со знаком « = ».

6. Дорисуй фигуры там, где нужно.

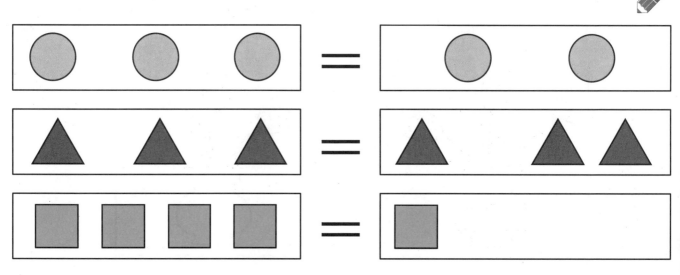

7. Подними вверх сначала правую руку, а затем — левую.

Возьми карандаш в левую руку, переложи его в правую руку.

Покажи: своё левое ухо, правую ногу, левый глаз.

Догадайся, для какой руки (для правой или левой) каждая варежка.

8. Что изменилось (цвет, форма или размер)?

9. Измени форму фигур.

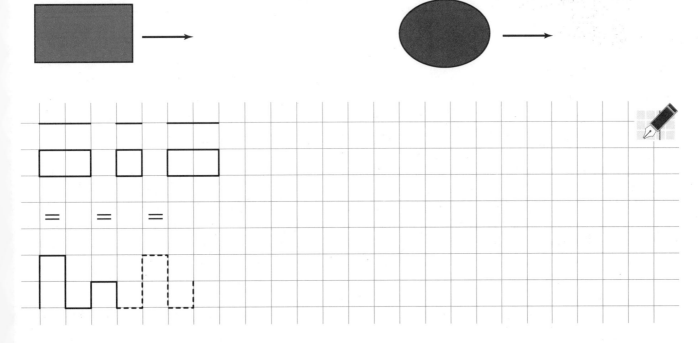

117

1. Посчитай, сколько цветов растёт на клумбе. Добавь ещё один цветочек. Сколько цветов стало?

Катя держит карточку с цифрой 5. Запомни эту цифру.

2. Обведи.

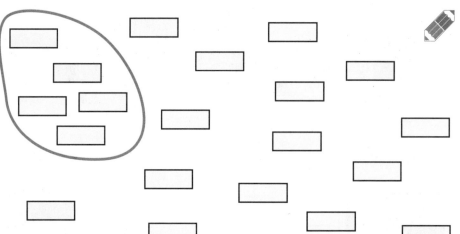

3. Найди цифру 5 и раскрась её.

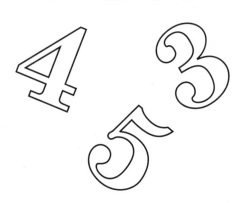

4. Дорисуй ягоды так, чтобы на каждой веточке их было 5.

5. Положи рядом с каждым рисунком карточку с нужной цифрой.

6. Назови цвет и форму каждой фигуры.

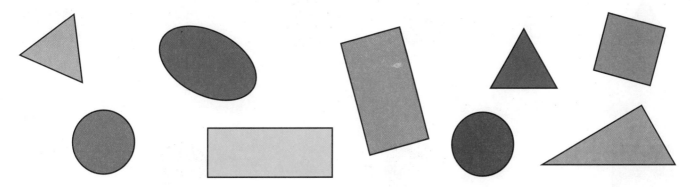

7. Катя и Витя наводят порядок. Они разложили вещи на полки шкафа.

Подумай, как назвать одним словом все предметы на верхней полке. А на нижней полке?

8. Там, где нужно, напиши знак «=».

9. Что изменилось (цвет, форма или размер)?

10. Измени цвет фигур.

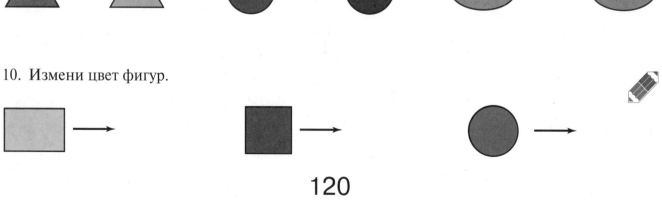

120

11. Сделай рисунки одинаковыми.

12. Помоги зайчику добраться до дома ежа — покажи ему дорогу:
— сначала нужно идти прямо,
— потом направо,
— потом налево,
— потом опять налево,
— затем направо,
— потом опять направо.

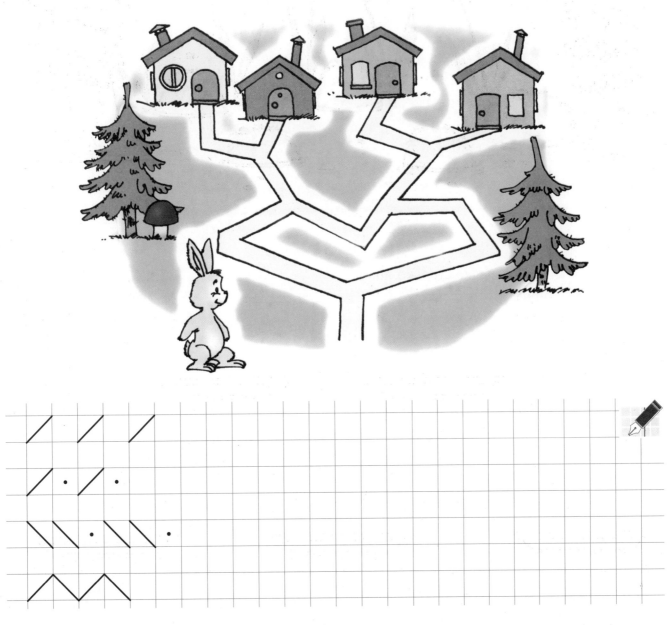

1. Чтобы попасть в гости к бобру, лягушонку нужно перепрыгивать с кочки на кочку. Покажи дорогу лягушонку, называя написанные на кочках числа по порядку. А как лягушонок будет возвращаться обратно? Покажи ему путь домой, называя числа.

Не глядя на рисунок, назови числа от одного до пяти и от пяти до одного.

2. Нарисуй в каждой тарелке столько яблок, сколько указано цифрой.

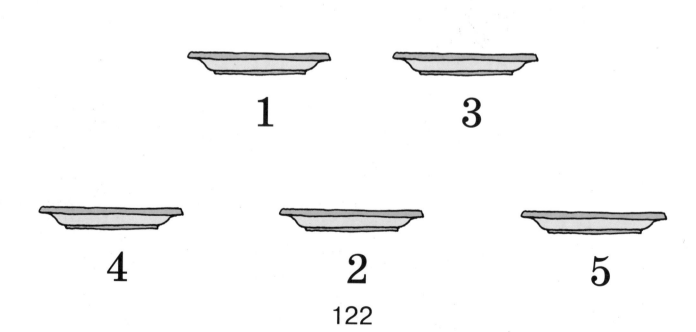

3. Посчитай, сколько зверюшек идёт за водой.

Кто идёт первым?

Кто идёт последним?

Кто идёт перед ёжиком — лиса или белка?

Кто идёт за лисой?

Кто идёт после медведя?

Кто идёт между ёжиком и кротом?

Между какими животными идёт лиса?

4. Раскрась флажки так, чтобы синий был между красным и зелёным.

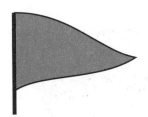 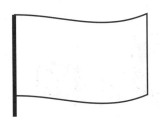 

5. Витя и Катя построили из кубиков башни. Для постройки какой башни понадобилось больше кубиков?

Чья башня ниже?

 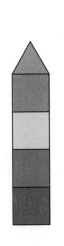 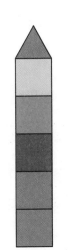 

123

6. Катя разложила вещи по коробкам.

— Ты ошиблась, — сказал Витя. — Посмотри, в этой коробке один предмет лишний. Он не такой, как все.

— Какой же предмет лишний? — удивилась Катя.

— Этот кубик. Все кубики красные, а он — коричневый.

7. В каждой коробке оказался «лишний» предмет. Найди его и объясни, чем он не похож на другие предметы.

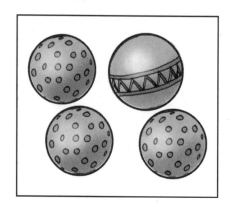  

8. Посчитай и скажи, чего больше — прямоугольников или квадратов?

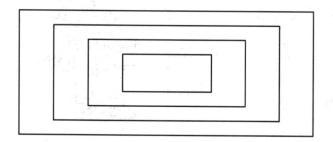 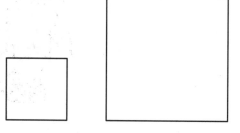

9. Назови форму, цвет и размер каждой фигуры.

10. Какой кувшин надо поставить на свобод-
ное место? Помни, что на каждой полке
должны быть кувшины разного цвета.

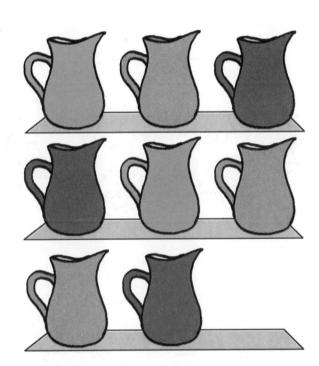

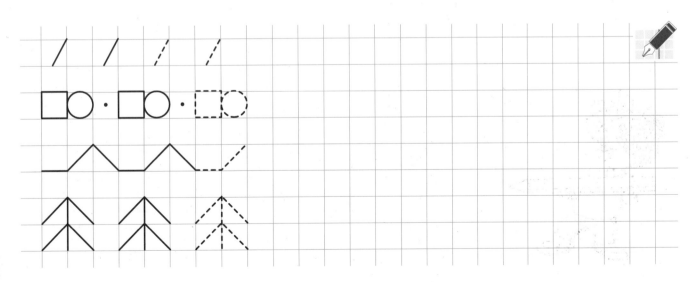

1. Посчитай цветы и нарисуй ещё один цветок. Сколько теперь цветочков на клумбе?
   Познакомься с цифрой 6.

2. Найди и раскрась цифру 6.

3. Обведи.

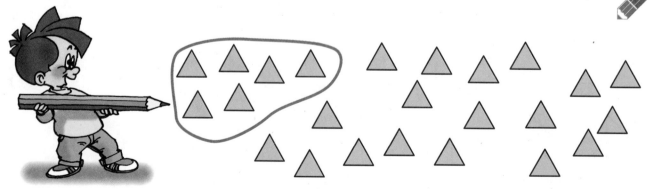

126

4. Назови числа по порядку:
   — от одного до шести;
   — от шести до одного;
   — от двух до шести;
   — от пяти до двух.

5. Напиши там, где нужно, знак « = ».

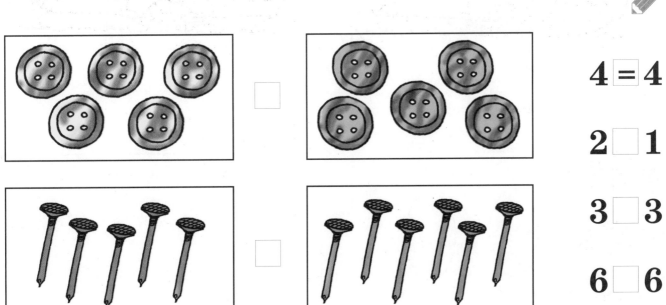

$$4 = 4$$

$$2 \square 1$$

$$3 \square 3$$

$$6 \square 6$$

6. Какая бабочка летит к гусенице первой?
   Какая бабочка летит последней?
   Какая по счёту белая бабочка?
   Какого цвета четвёртая по счёту бабочка?

7. Найди 6 отличий.

8. Нарисуй столько же кругов, сколько нарисовано овалов.

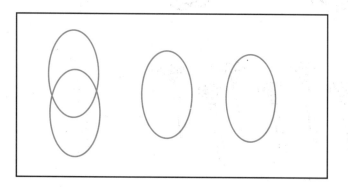 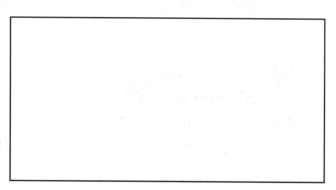

9. Нарисуй пропущенные фигуры.

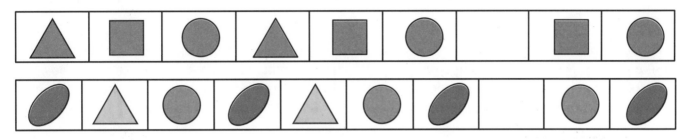

10. Раскрась машины, которые едут слева направо, в синий цвет; машины, которые едут справа налево, в коричневый цвет.

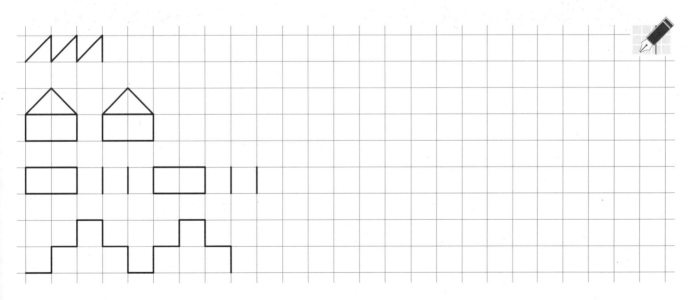

1. Посмотри, какая цифра написана на карточке у Кати. Хлопни в ладоши 6 раз.

   Положи перед собой столько счётных палочек, сколько точек на карточке у Вити.

Сложи из этих палочек такой же домик, как на рисунке. Сколько этажей в этом доме? Возьми ещё одну палочку и положи её так, чтобы стало два этажа. Стал ли дом выше?

2. Сосчитай, сколько кошек спряталось во дворе?

3. Разложи карточки с числами по порядку (от одного до шести).

   Покажи самое большое число; самое маленькое число.

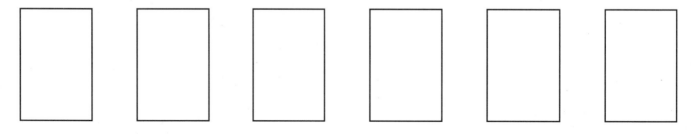

**4.** Кто сидит на верхней ветке дерева? Воробей или дятел?

Витя думает, что над синицей сидит дятел.

Как ты думаешь, Витя прав?

Кто сидит под синицей?

Какая птица сидит ниже всех?

Какой самолёт летит выше всех? Какой – ниже всех?

**5.** Нарисуй столько треугольников, сколько указано цифрой.

| 4 | 6 | 5 |
|---|---|---|

**6.** Что изменилось?

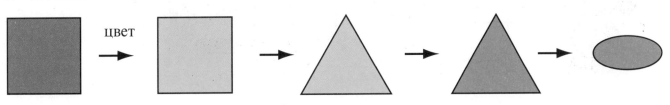

131

7. Проведи линии от рисунка к цифре.

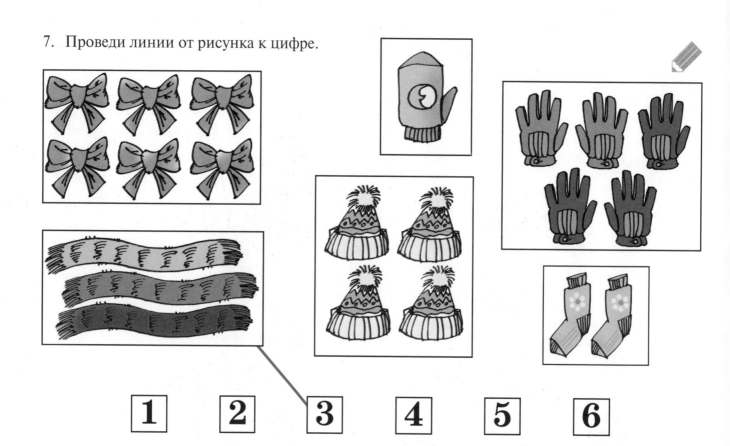

| 1 | 2 | 3 | 4 | 5 | 6 |

8. К кому идут в гости сказочные герои?

9. Сделай рисунки одинаковыми.

10. Раскрась части тарелки.

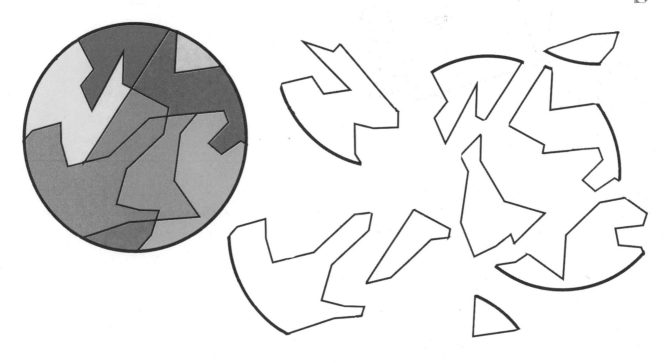

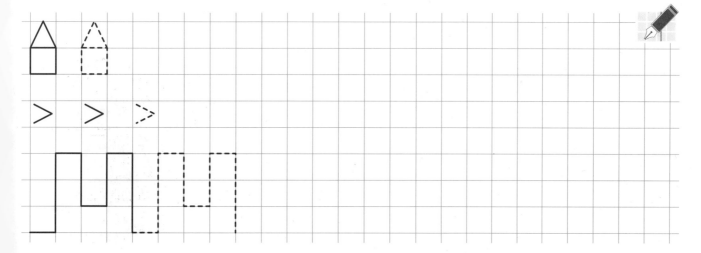

1. Посчитай, сколько цветов на клумбе.
Добавь ещё один цветок.

Сколько цветочков стало?

Витя держит карточку с цифрой 7.

2. Найди цифру 7 и раскрась её.

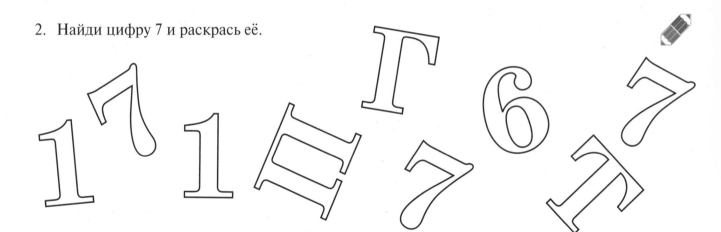

3. Обведи.

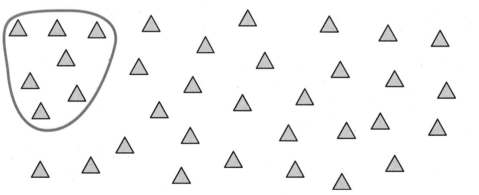

4. Положи пропущенные карточки. Сосчитай от 1 до 7.

Какое число мы называем при счёте раньше — 4 или 5?

Какое число мы называем при счёте позже — 6 или 7?

| 1 | 2 | | | 5 | | 7 |

5. Расскажи, что было сначала, а что потом.

6. Кто соседи медведя?
   Чей сосед волк?
   Кто соседи зайца?

Какие числа — «соседи» числа 2? Какие числа — «соседи» числа 4? Какие числа — «соседи» числа 6?

7. Как ты думаешь, чего больше — арбузов или слив?
   Посчитай, проверь.

8. Найди один «лишний» предмет в каждом ряду.

136

9. Раскрась столько кругов, сколько обезьян спряталось на пальмах.

Раскрась столько треугольников, сколько найдёшь попугаев.

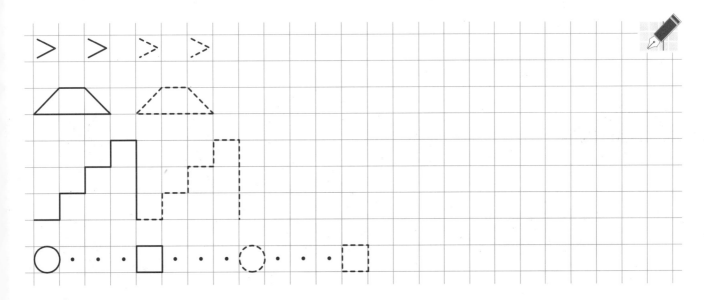

1. Помоги лягушонку попасть в гости к бобру и вернуться обратно.

   Назови числа по порядку от 1 до 7; от 7 до 1.

2. Из счётных палочек сложи квадрат так, как показано на рисунке.

   Сколько счётных палочек нужно для этого?

   Переложи палочки так, чтобы получилась новая фигура.

   Она называется **ромб**.

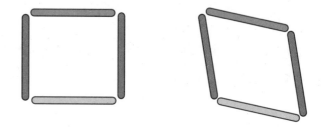

3. Найди на рисунке ромбы.

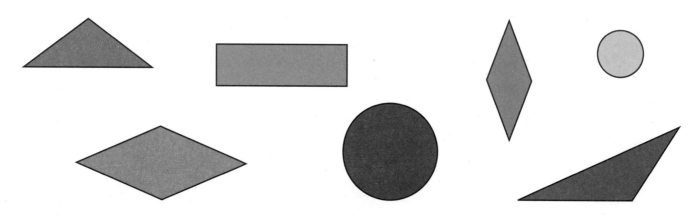

4. Нарисуй на каждом дереве столько яблок,
сколько указано цифрой.

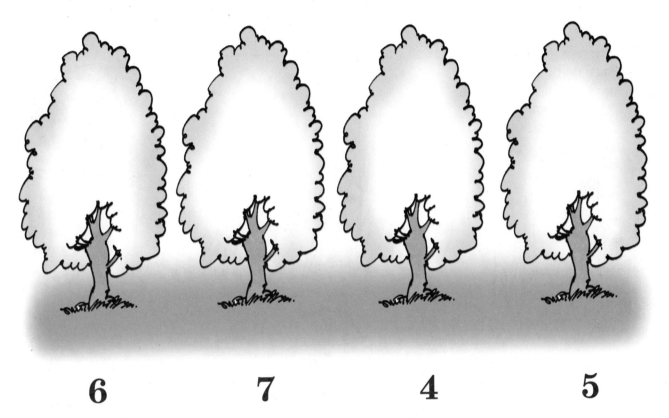

6          7          4          5

5. Соедини рисунки с цифрами.

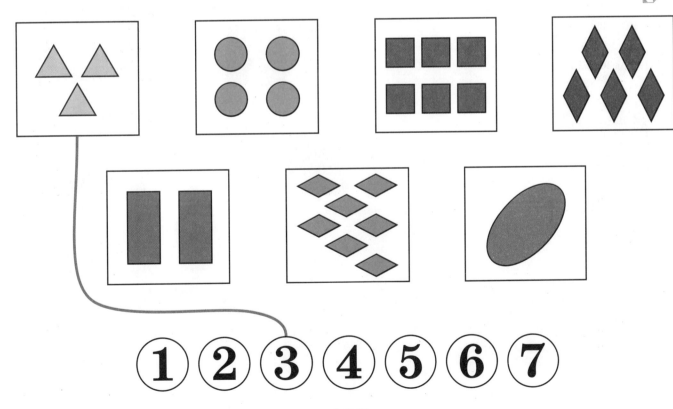

139

6. Посмотри на рисунки. Чего больше — кругов или треугольников? Можно ли поставить между ними знак «=»?

Показать, что кругов больше, чем треугольников, нам поможет знак, который написан на карточке у Вити. Этот знак так и называется — **больше**. Найди его в «Кассе цифр» и положи между рисунками.

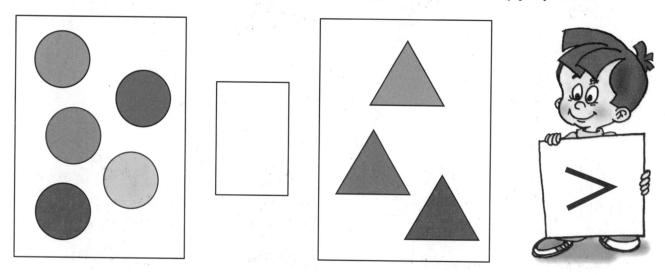

7. Можно ли положить между этими рисунками карточку со знаком «больше»? Конечно, нет — ведь овалов меньше, чем квадратов. Значит, и знак нужен другой. Посмотри на карточку, которую держит Катя. На ней — знак **меньше**. Сравни его со знаком «больше». Положи знак «меньше» между рисунками.

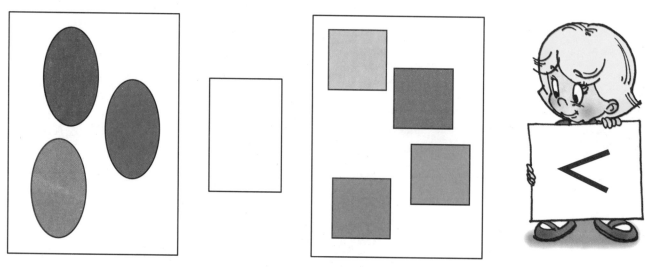

8. Чтобы не путать знаки «больше» и «меньше», запомни: меньшее число всегда «протягивает ручки» к большему, хочет обнять его. Для этого меньшему числу приходится «разводить руки» широко в стороны.

140

9. Знаки «>», «<» можно записывать (или ставить) не только между рисунками, но и между числами.

Запись 4>1 мы прочитаем так: «четыре больше одного», а запись 3<5 — «три меньше пяти».

Сравни количество предметов на рисунках и поставь (напиши) знаки «>», «<», «=».

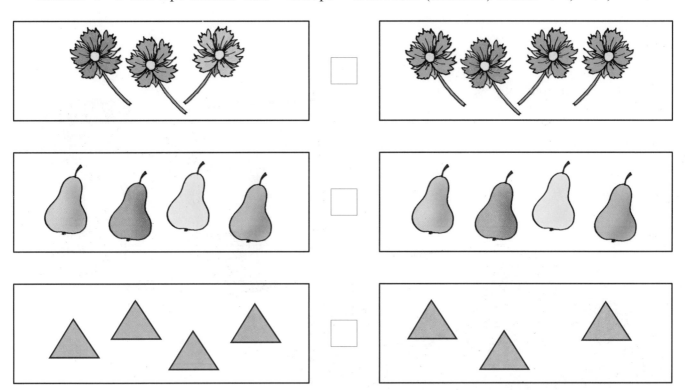

10. Сравни числа и поставь между ними нужные знаки.

4 ☐ 2          6 ☐ 7          3 ☐ 3

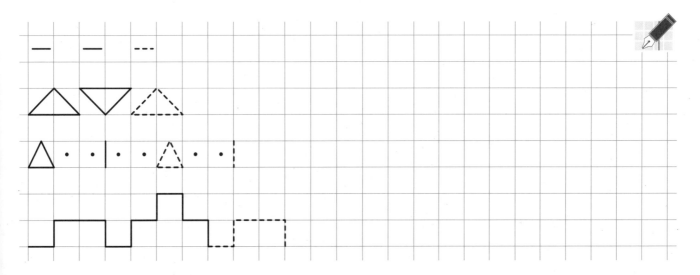

1. Посчитай, сколько цветов на клумбе. Сколько цветов стало после того, как ты нарисовал ещё один цветок?

Катя держит карточку с цифрой 8.

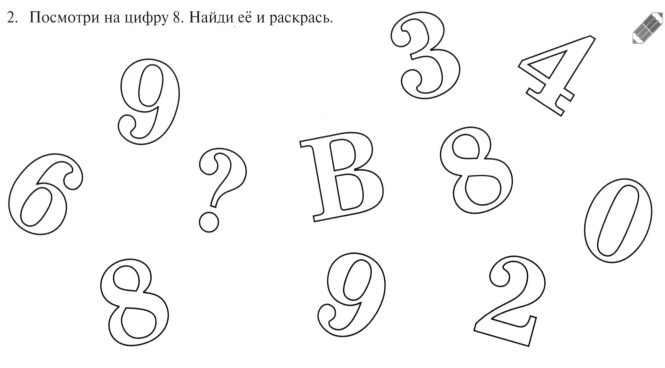

2. Посмотри на цифру 8. Найди её и раскрась.

**3.** Обведи.

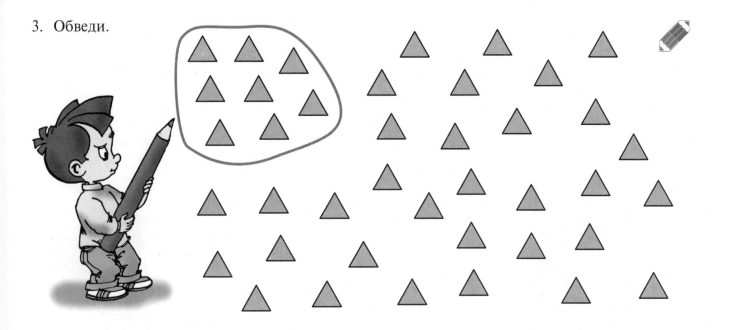

**4.** Разложи по порядку карточки с числами от 1 до 8. Назови числа от 8 до 1; от 2 до 7; от 6 до 2.

Какие числа — «соседи» числа 3?
Какие числа — «соседи» числа 7?
Положи нужные карточки.

**5.** Измени:

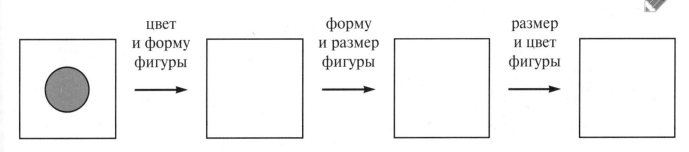

цвет и форму фигуры → форму и размер фигуры → размер и цвет фигуры

6. «Привяжи» шары к карточкам с цифрами.

| 2 | 3 | 4 | 5 | 6 | 7 | 8 |

7. Нарисуй в прямоугольниках:
   — красных кругов столько, сколько яблок;
   — жёлтых треугольников больше, чем груш;
   — синих овалов меньше, чем слив.

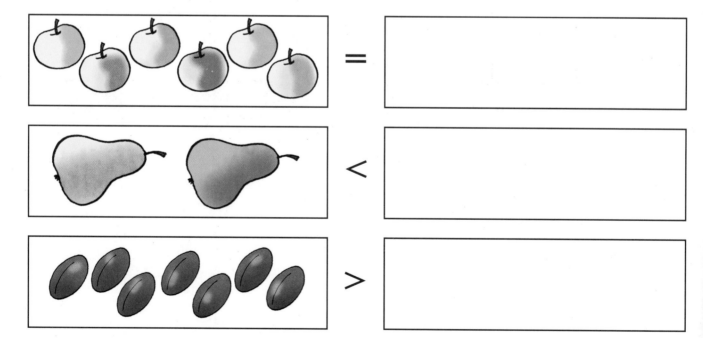

8. Что стоит ближе к окну:
— стол или шкаф?
— стол или стул?

Что стоит дальше от двери:
— шкаф или стол?
— стол или стул?

9. Красными точками обозначены **вершины** квадрата. Сколько их?

Обозначь точками вершины остальных фигур.

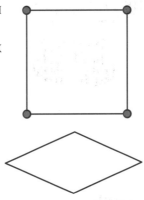

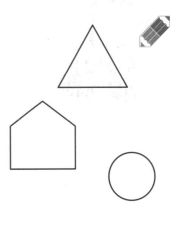

1. Назови номера игроков по порядку (начиная с первого).

Назови число, которое при счёте следует за числом 5.

Число 6 называют **следующим** за числом 5.

Назови число, следующее за числом 3; следующее за числом 7.

2. Помоги Вите подняться и спуститься по ступенькам, называя числа.

3. Положи карточки со знаками «>», «<», «=».

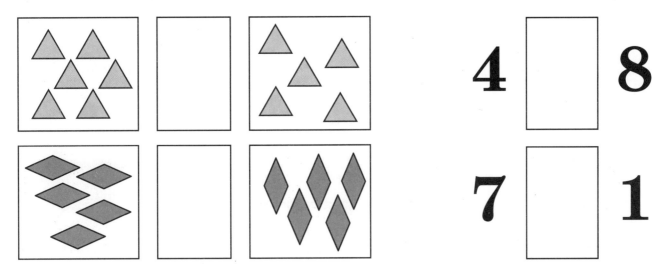

4. Найди первую картинку.
Сколько листьев на ветке?
Рассмотри вторую картинку.
Что произошло?
На третьей картинке нарисовано, сколько осталось листьев.
Сосчитай, сколько их осталось?
Как ты думаешь, число листьев **увеличилось** (стало больше) или **уменьшилось** (стало меньше)?

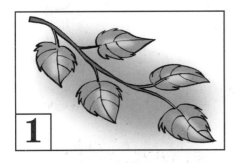

5. Помоги медвежонку найти дорогу к маме.

147

6. Одна сторона прямоугольника синего цвета.

Обведи остальные стороны прямоугольника карандашом синего цвета.

Посчитай, сколько сторон у каждой фигуры.

Сложи из счётных палочек такой же квадрат, какой ты видишь на рисунке.

Сколько палочек нужно для одной стороны этого квадрата?

Сколько всего палочек понадобилось?

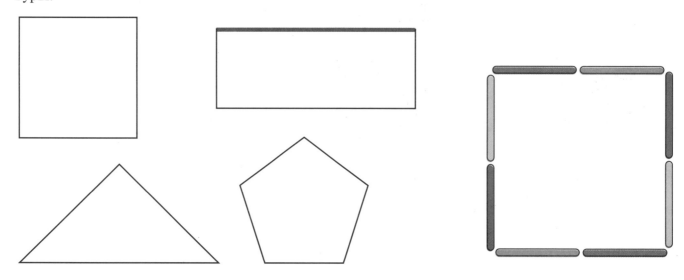

7. Какое животное нарисовано третьим, если считать от пальмы?

Каким по счёту будет попугай, если считать от пальмы? А если считать слева?

148

8.  Помоги Вите докрасить забор.

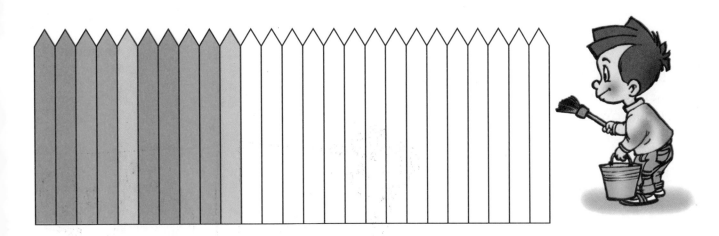

9.  Найди одинаковые ботинки и «свяжи» их вместе.

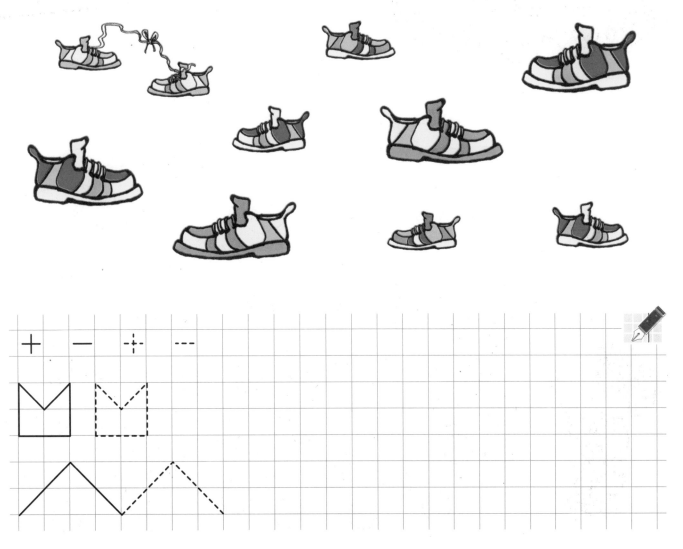

## Число и цифра 9. Углы многоугольников.

1. Посчитай, сколько цветов на клумбе.
   Добавь ещё один цветок. Посчитай, сколько цветов стало теперь.
   Познакомься с цифрой 9 и запомни её.

2. Найди и раскрась новую цифру — цифру 9.

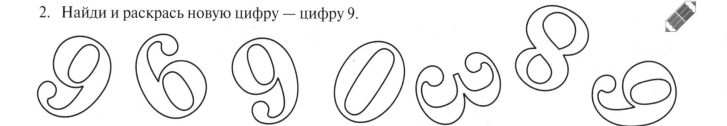

3. Обведи.

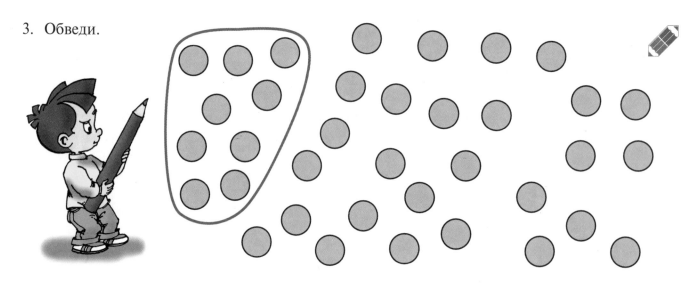

150

4. Разложи по порядку карточки с числами от 1 до 9.

Назови самое большое (**наибольшее**) число.

Назови самое маленькое (**наименьшее**) число.

Назови числа по порядку от 2 до 7, от 9 до 1.

Назови «соседей» числа 3, «соседей» числа 8.

Положи на стол 5 счётных палочек. Добавь ещё одну. Не считая, скажи, сколько палочек стало. Добавь ещё одну палочку. Сколько их стало теперь? Положи ещё одну палочку. Скажи, сколько палочек на столе. Помоги Кате найти «соседей» числа 6.

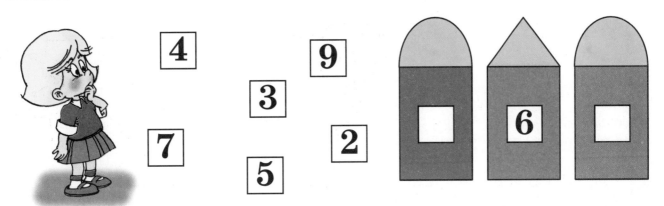

5. Посчитай фигуры, соедини рисунки с цифрами.

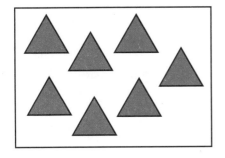 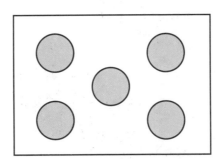 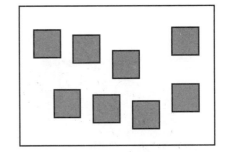

 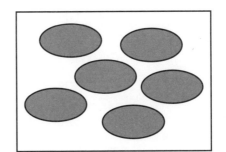

| 5 | 6 | 7 | 8 | 9 |

6. На рисунке **углы** квадрата зелёного цвета.
Посчитай, сколько их.
Сколько углов у других фигур?
Объясни, почему треугольник так называется.

7. Расскажи, начиная с первого рисунка, что произошло?

Как ты думаешь, что должно быть нарисо-вано на третьем рисунке? Нарисуй там столько точек, сколько должно быть птиц. Число птиц увеличилось или уменьшилось?

8. Измени:

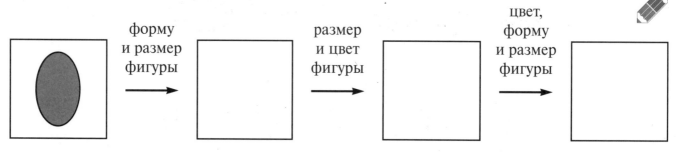

форму и размер фигуры

размер и цвет фигуры

цвет, форму и размер фигуры

152

9. Найди 4 отличия.

10. Какая бусинка потерялась?

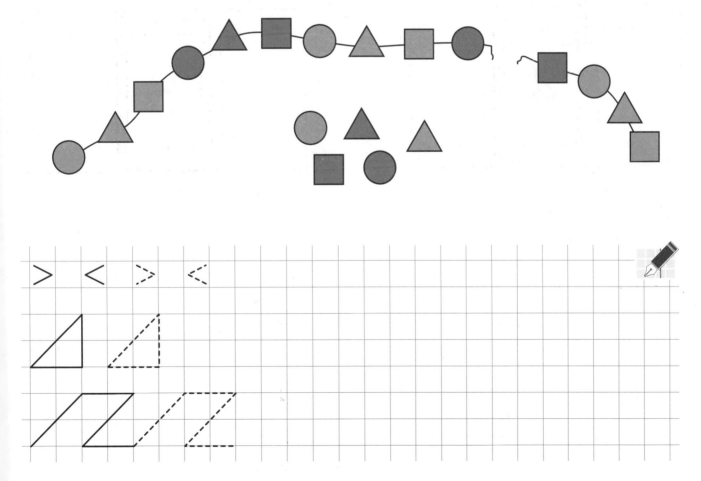

1. Назови числа по порядку:
   — от 4 до 9;
   — от 9 до 6.
   Какое число мы называем при счёте после числа 3?
   Какое число мы называем перед числом 9?

Назови «соседей» числа 7.
Положи на стол 6 счётных палочек. Отложи одну палочку в сторону. Не считая, скажи, сколько палочек осталось. Убери ещё одну палочку. Сколько палочек осталось теперь?

2. Посели в домики карточки с числами — «соседями» числа 4 и «соседями» числа 8.

3. Раскрась овалы так, чтобы красный овал был слева от синего, а жёлтый овал был между синим и зелёным.

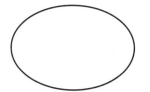 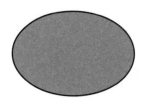 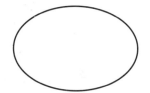 

**4.** Посчитай, сколько вершин, сторон и углов у каждой фигуры.

Все эти фигуры называются **четырёх-угольниками**.

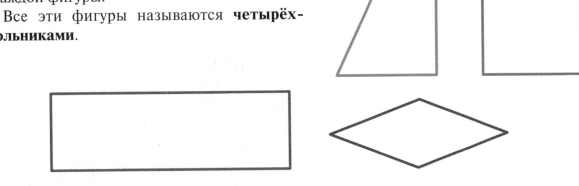

**5.** Найди на рисунке четырёхугольники и раскрась их.

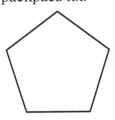 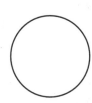   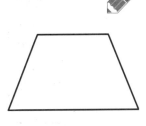

**6.** Помоги мышке добраться до норы.

7. Рассмотри картинки, расскажи, что было сначала, что было потом.

Назови части суток.

Какая часть суток бывает перед ночью?

Какая часть суток наступает после утра?

Какая сейчас часть суток?

8. Поставь знаки « > », « < », « = ».

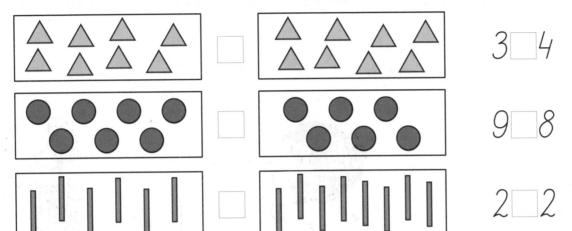

3 ☐ 4

9 ☐ 8

2 ☐ 2

9. Найди «лишнюю» фигуру в каждом ряду.

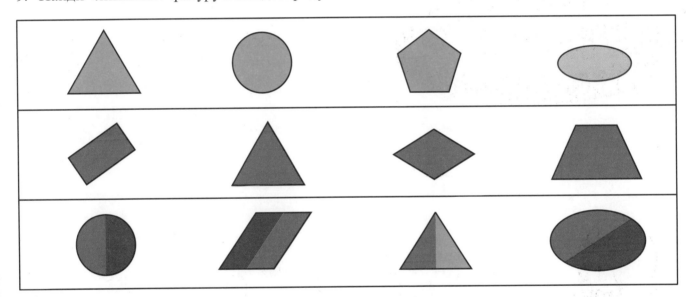

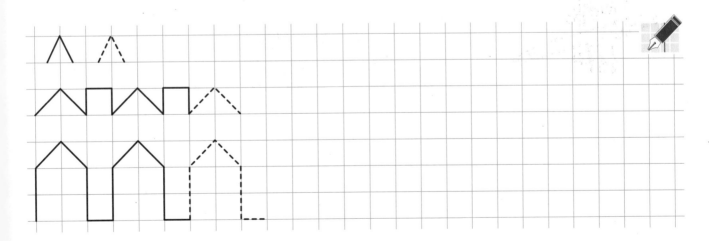

1. Посчитай, сколько цветов на клумбе. «Посади» ещё один цветок. Сколько цветов стало? Посмотри и запомни, как записать число 10.

2. Обведи.

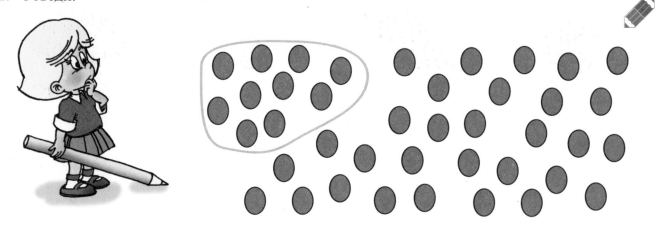

3. Назови числа по порядку:
   — от 1 до 10;
   — от 10 до 1;
   — от 3 до 9;
   — от 8 до 2.

4. Нарисуй на ветках столько ягод, сколько указано цифрой.

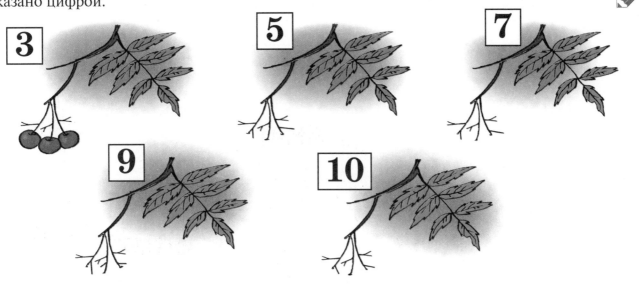

5. Расскажи, что должно быть нарисовано на втором рисунке.

  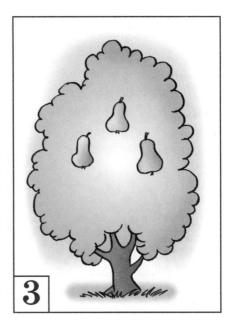

6. Закончи предложения.
   Если Витя выше Кати, то Катя ниже Вити.
   Если бегемот больше зебры, то зебра ...
   Если шнурок короче ленты, то лента ...
   Если ручей у́же реки, то река ...
   Если синица прилетела раньше воробья, то воробей прилетел...

7. Сравни кораблики в каждом ряду.

Какой кораблик должен быть в пустом «окошке»?

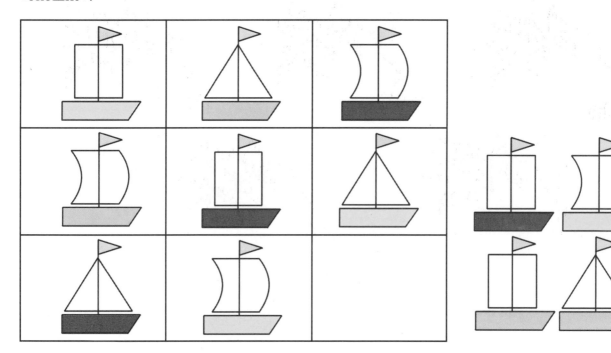

8. Какие дни недели ты знаешь?

Какой день недели сегодня?

Какой день будет завтра?

Какой день был вчера?

Назови первый день недели, последний день недели.

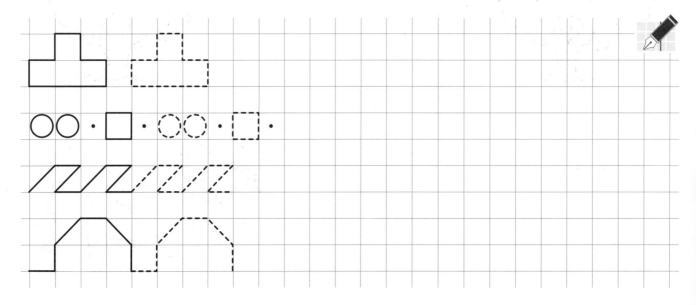

1. Положи пропущенные карточки с цифрами.

| 10 | | | 7 | 6 | | | 3 |
|---|---|---|---|---|---|---|---|

2. Найди и назови числа по порядку.

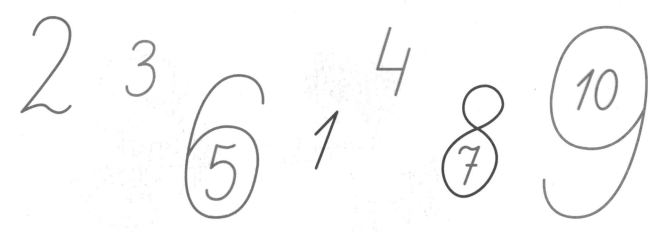

3. Посчитай, сколько углов у каждой фигуры. Положи рядом карточку с нужной цифрой.

Фигура, у которой пять углов, называется **пятиугольником**. Догадайся, как называется фигура, у которой шесть углов. Попробуй сложить **шестиугольник** из счётных палочек. Сколько палочек тебе понадобится?

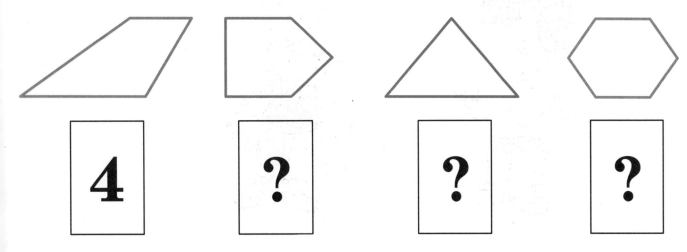

161

4. Расскажи, что должно быть нарисовано на третьем рисунке? Дорисуй.

162

5. Где меньше кубиков?

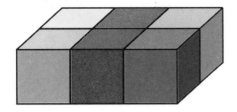
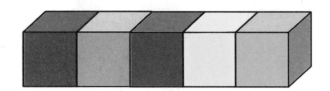

6. Сколько раз ёжику нужно перейти ручей?

7. Найди две одинаковые карточки.

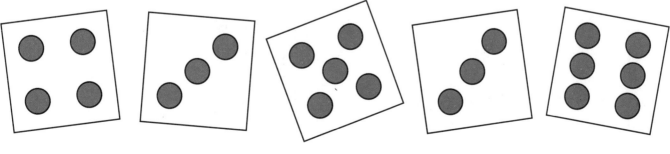

8. Сделай рисунки одинаковыми.

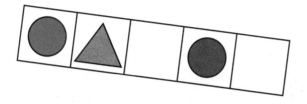 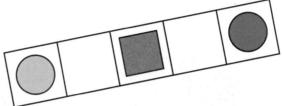

9. Какой чайник должен быть нарисован в пустом «окошке»?

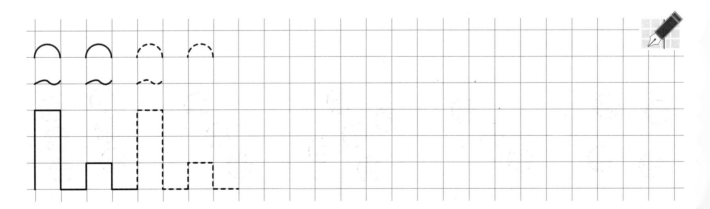

1. Сколько цветов осталось на клумбе?
   Правильно — ни одного.
   Чтобы написать, что у нас нет цветов, мы воспользуемся цифрой 0.

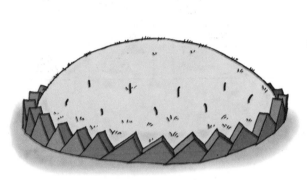

2. Найди и раскрась цифру 0.

3. Положи на стол 3 счётные палочки. Убери одну. Сколько палочек осталось? Убери ещё одну. Посчитай, сколько палочек на столе теперь. Убери ещё одну палочку. Найди в «Кассе цифр» карточку, которая показывает, сколько палочек осталось.

Как ты думаешь, число 0 больше, чем число 5? Что больше — один или ноль?
Разложи карточки по порядку от 1 до 10. Найди место для карточки с цифрой 0.

4. Сравни числа и впиши в пустые «окошки» нужный знак («>», «<», «=»):

5. Соедини рисунки с цифрами. В прямоугольниках нарисуй нужное количество фигур.

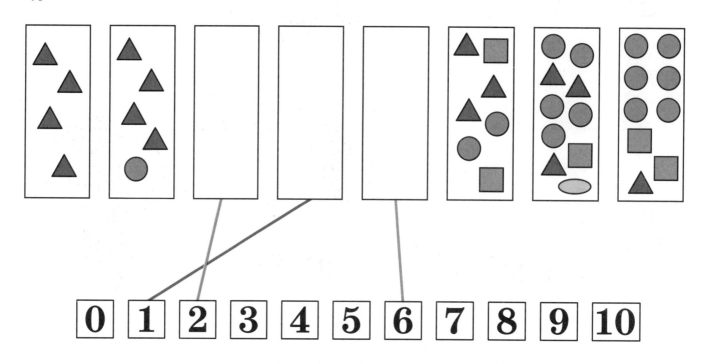

6. Катя и Витя решили **измерить** счётными
палочками длину стола и табуретки.

Сколько им понадобилось палочек, чтобы
измерить длину стола? Сколько палочек помещается на краю табуретки?

Измерь палочками длину своего стула.
Сколько палочек понадобилось?

166

7. Найди ошибки.

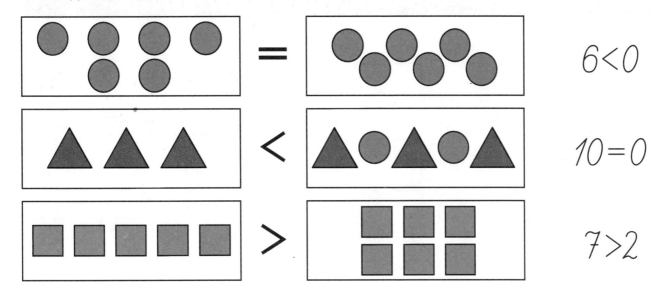

$6 < 0$

$10 = 0$

$7 > 2$

8. Найди одинаковые фигуры и соедини их так, как показано на рисунке.

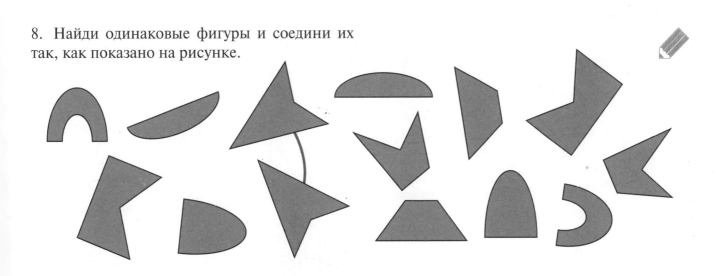

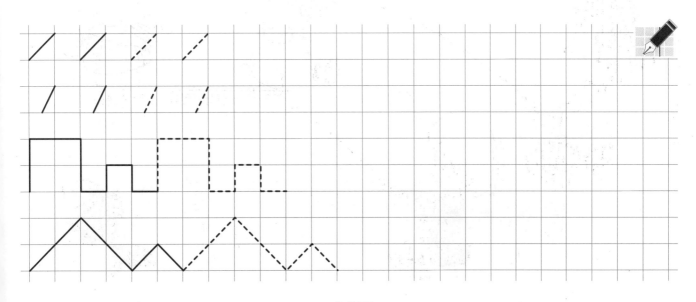

1. Найди и покажи:

— число, которое мы называем при счёте перед числом 6;

— число, которое мы называем при счёте за числом 9;

— число, которое находится между числами 3 и 5;

— числа, которые меньше четырёх;

— «соседей» числа 7.

## 0 1 2 3 4 5 6 7 8 9 10

2. Раскрась седьмую по счёту фигуру (если считать слева направо) зелёным карандашом. Раскрась пятую справа фигуру красным карандашом.

Раскрась жёлтым карандашом пятиугольник, который находится справа от красного овала.

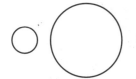    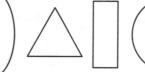 

3. Кто поймал рыбу?

4. Сегодня Катя и Витя решили измерять предметы не счётными палочками, а своими ладошками.

Ширина книги — две Витиных ладони.

Попробуй измерить своими ладонями ширину стула. Для этого соедини пальцы вместе и посчитай, сколько раз нужно приложить ладошку, чтобы добраться от одного края стула до другого.

Наверное, ты сможешь измерить таким образом и ширину двери, и длину своего шарфа, а также любой не слишком большой предмет.

5. Какие бусинки потерялись?

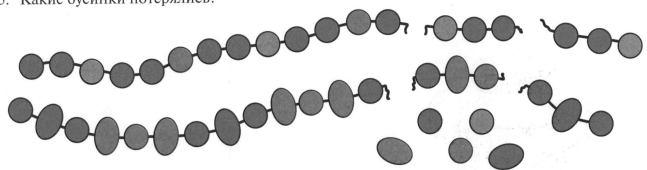

6. Расскажи, что должно быть нарисовано на третьей картинке.

Как ты думаешь, число шаров уменьшилось или увеличилось?

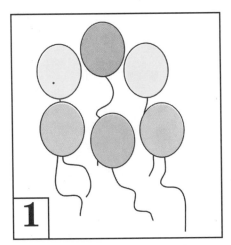 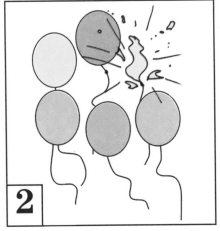 

7.

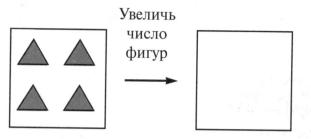

Увеличь
число
фигур

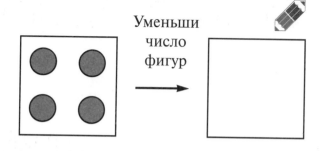

Уменьши
число
фигур

8. Найди две одинаковые перчатки.

9. Какой черепок откололся от вазы?

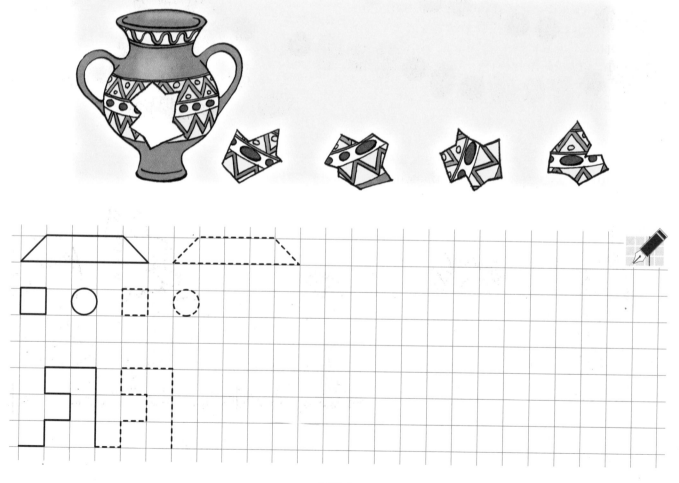

1. Назови числа по порядку:
   — от 1 до 10;
   — от 10 до 1;
   — от 3 до 8;
   — от 9 до 0.

   Какое число идёт при счёте перед числом 7?

   Число 6 называется **предыдущим** по отношению к числу 7.

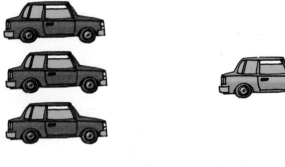

2. У Вити было три машинки красного цвета. Найди их на рисунке. Под рисунком запишем, сколько машинок было у Вити, — поставим карточку с цифрой 3. Катя подарила Вите ещё одну машинку — синюю. Поставим под синей машинкой карточку с цифрой 1. Чтобы записать, что машинок стало 3 и ещё одна, используют знак, который держит Катя. Этот знак называется «плюс». Запись, которую мы получили, можно прочитать так: «три да ещё один», или «три плюс один», или «к трём прибавить один».

3. Рассмотри рисунки и прочитай записи:

**2+1**

**2+2**

171

4. Сколько цветов в букете? Положи под рисунком карточку с цифрой 3.

Сколько цветов добавляет Катя? Положи рядом с цифрой 3 карточку с цифрой 2.

Какой знак поможет записать, что к 3 цветкам п р и б а в и л и 2 цветка? Найди знак «плюс» в «Кассе цифр» и положи между цифрами 3 и 2. Прочитай запись.

5. Рассмотри рисунок и составь запись.

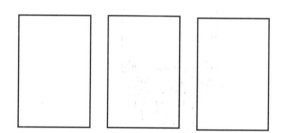

6. Какой домик должен быть нарисован в пустом «окошке»?

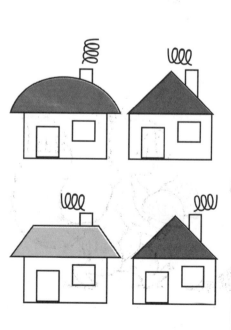

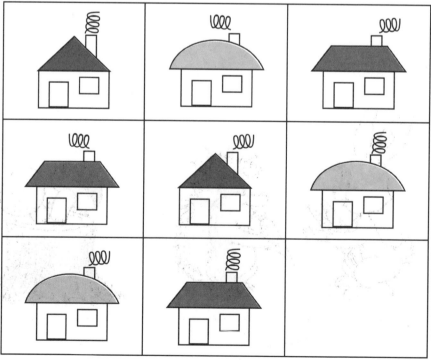

7. Сегодня выпал снег. Это очень кстати, потому что Катя и Витя решили узнать, сколько шагов нужно сделать, чтобы добраться от дома до дерева и от дерева до забора. Посчитать шаги помогут следы на снегу.

Раскрась столько кругов, сколько шагов сделал Витя от крыльца до дерева.

Раскрась столько треугольников, сколько шагов от дерева до забора.

Когда ты пойдёшь гулять, сосчитай, сколько шагов надо сделать, чтобы дойти от двери твоего дома до дороги.

173

1. Назови пропущенные числа.

2. Рассмотри картинку. Сколько чашек стояло на столе сначала? Положим рядом с картинкой карточку с цифрой 6. Что случилось потом? Сколько чашек упало? Чтобы записать, что упала одна чашка, положим карточку с цифрой 1.

Чтобы записать, что чашек осталось шесть без одной, нам понадобится знак, который держит Катя. Он называется «минус». Прочитать запись можно так: «шесть без одного», или «шесть минус один», или «от шести отнять один».

3. Рассмотри рисунки и прочитай записи по-разному.

4 - 1                                    5 - 2

4. Рассмотри рисунки и составь записи, используя карточки.

5. Сравни числа. Положи между ними карточки со знаками « > », « < », « = ».
   Прочитай записи.

3 ☐ 8          10 ☐ 9

0 ☐ 4          6 ☐ 6

6. У кого кубиков больше?

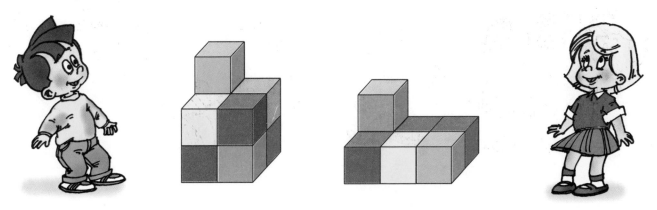

7. Одна шапка отличается от других. Найди
эту шапку.

8. Заполни пустые «окошки».

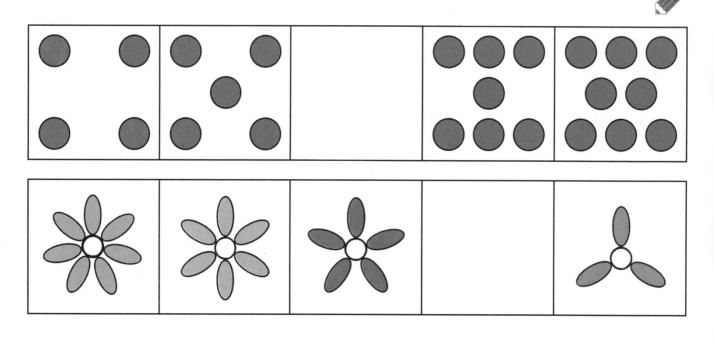

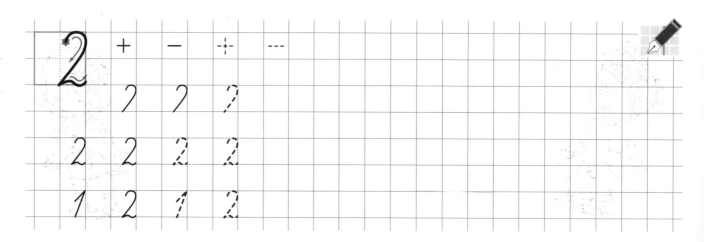

1. Сколько птиц сидело на дереве?

Как записать, что прилетели ещё 2 птицы?

Сколько всего стало птиц?

Посмотри на запись под рисунками. Она читается так: «четыре да два получится шесть», или «четыре плюс два равно шести», или «к четырём прибавить два, получится шесть».

Знак « = » здесь **обозначает «получится»**, **«станет»**.

$$4 + 2 = 6$$

2. Посмотри на рисунки. Сколько птиц было сначала на дереве? Сколько птиц улетело?

Посчитай, сколько осталось птичек.

Запись под рисунками читается так: «шесть минус четыре равно двум» или «от шести отнять четыре, получится два».

Знак « = » здесь **обозначает «получится»**, **«останется»**.

$$6 - 4 = 2$$

3. Соедини рисунки с записями.

$$4 - 3 = 1$$

$$5 + 2 = 7$$

4. Сделай записи под рисунками.

5. Раскрась флажки.

6. Найди «лишний» рисунок в каждом ряду.

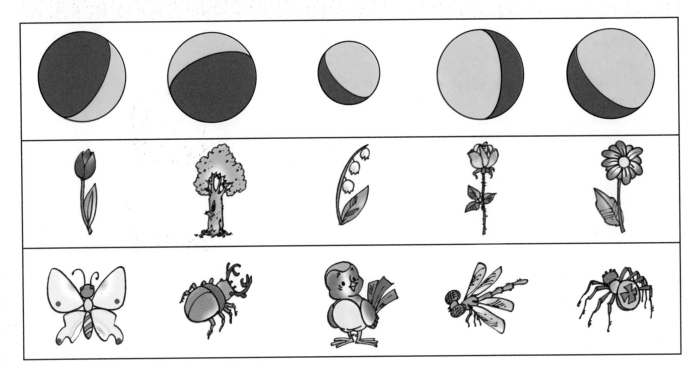

7. Положи на стол три счётные палочки. Добавь одну палочку. Сколько получилось? Положи ещё одну палочку. Посчитай, сколько палочек стало. Добавляй палочки по одной, пока их не станет 10.

Сложи из них два пятиугольника. А сколько треугольников можно сложить из десяти палочек?

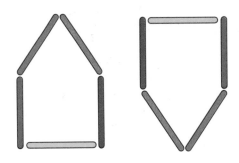

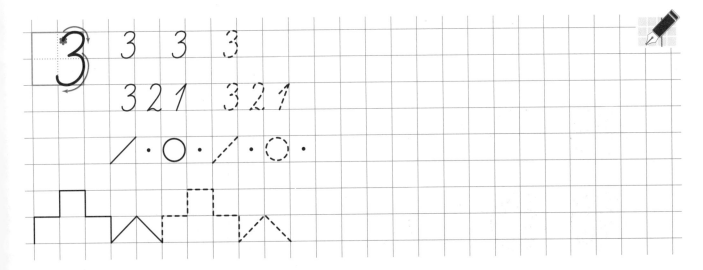

1. Какое число мы называем при счёте раньше — 3 или 4; 7 или 10?

Назови «соседей» числа 9.

Назови числа от 0 до 10, от 10 до 3.

Какое число мы называем перед числом 6 при счёте?

Какое число является предыдущим для числа 3?

Два — это один и ещё сколько?

2. Под вазами написано, сколько в них цветов. Сделай так, чтобы в каждой вазе было по три цветка. Сколько цветов ты добавил в белую вазу? Запиши в пустую клетку это число. Сколько цветов ты добавил в розовую вазу? Запиши.

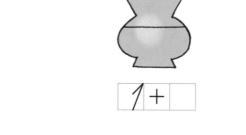

3. Посчитай, сколько кругов на верхней строчке? Три круга — это один зелёный и сколько жёлтых?

Посмотри на нижнюю строку.

Три круга — это два зелёных и сколько жёлтых кругов?

**Запомни!** 3 — это 1 и ещё 2.

3 — это 2 и ещё 1.

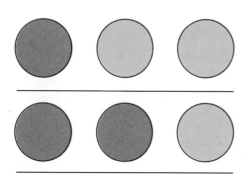

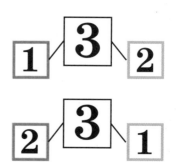

180

4. Обрати внимание на цвет фигур и составь запись.

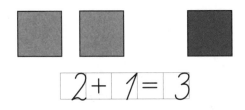

$$2 + 1 = 3$$

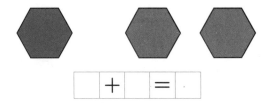

$$\boxed{\phantom{0}} + \boxed{\phantom{0}} = \boxed{\phantom{0}}$$

5. Сколько книг на рисунке?

Покажем, что мы забираем одну книгу. Перечеркнём её.

Сколько книг осталось?
Прочитай запись.

$$3 - 1 = 2$$

6. Рассмотри рисунок и составь запись.

$$\boxed{\phantom{0}} - \boxed{\phantom{0}} = \boxed{\phantom{0}}$$

7. Посмотри на рисунки и расскажи, что было сначала, что потом, что ещё позже. Поставь на рисунках числа по порядку, начиная с числа 1.

8. Сравни числа и поставь нужные знаки.

7 ☐ 9          4 ☐ 1          6 ☐ 9          5 ☐ 5

9. Угадай, сколько кур гуляет за забором.

10. Кто к кому идёт в гости?

1. Дорисуй столько яблок, чтобы в каждой тарелке их стало по 4. Запиши, сколько яблок было и сколько ты добавил.

2. Раскрась жёлтым карандашом круги в каждом ряду. Заполни пустые «окошки».

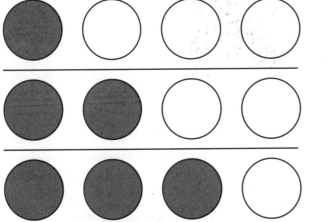

**Запомни!**
4 — это 1 и ещё 3.

4 — это 2 и ещё 2.

4 — это 3 и ещё 1.

3. Помоги Вите найти самый большой и самый маленький квадраты.

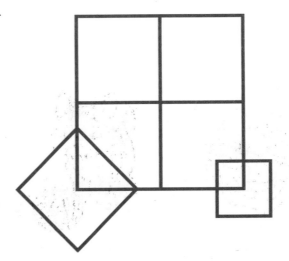

4. Рассмотри внимательно рисунки и сделай записи.

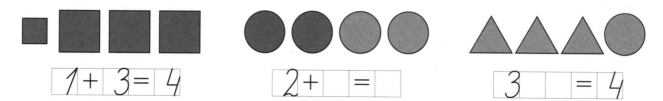

1 + 3 = 4          2 +   =          3   = 4

5. Найди две одинаковые бабочки.

6. Сделай записи.

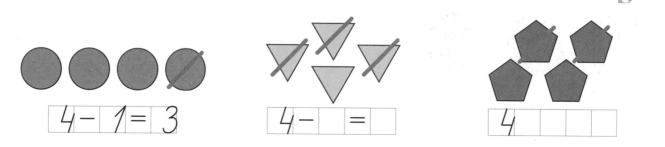

4 - 1 = 3          4 -   =          4

7. Расставь по порядку картинки.

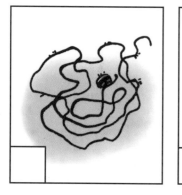  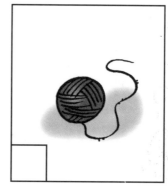 

8. Назови предметы и их части.

9. Катя решила украсить кухню красивыми салфетками из бумаги. Салфетки делаются так: лист бумаги квадратной формы складывают **пополам** и ещё раз **пополам**. Получается, что лист сложили **вчетверо**. Теперь Катя отрезает ножницами часть получившегося квадрата и разворачивает салфетку.
Догадайся, какая салфетка получилась у Кати.

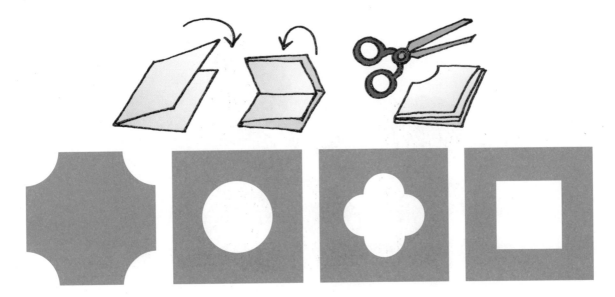

1. Посмотри на запись. Возьми жёлтый и красный карандаши и раскрась ими цветы на рисунках.

$$2 + 1 = 3$$

$$1 + 2 = 3$$

2. Мороженое стоит 3 рубля.

   Какими монетами Витя может расплатиться при покупке?

3. Угадай имена мальчиков, если мы знаем, что Саша выше всех, а Коля выше Кости.

4. Дорисуй.

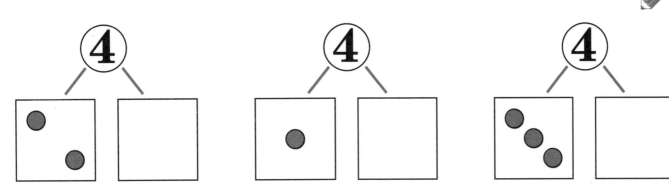

5. Впиши в пустые клеточки нужные числа.

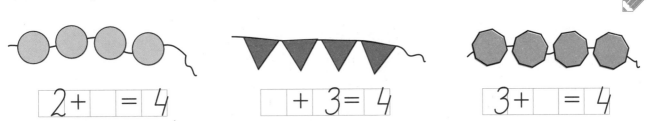

$2 +$ ⬚ $= 4$     ⬚ $+ 3 = 4$     $3 +$ ⬚ $= 4$

6. В стакан поместится примерно столько же воды, сколько в кружку. В какие ещё ёмкости помещается одинаковое количество воды?

7. Положи в пустые «окошки» карточки с цифрами.

3 > ☐        ☐ < 7        5 = ☐

8. У кого кубиков больше?

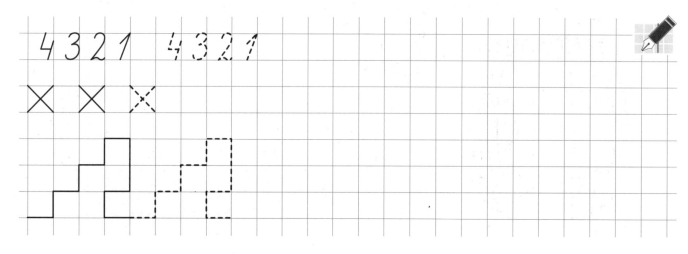

1. Сосчитай:
   — от 2 до 8;
   — от 7 до 0.
   Назови:
   — число, которое мы называем при счёте за числом 7;
   — число, которое мы называем при счёте перед числом 7.
   Вспомни:
   4 — это 1 и ещё сколько?
   4 — это 2 и ещё сколько?
   4 — это 3 и ещё сколько?

2. Сделай так, чтобы на каждой нитке было 5 одинаковых флажков. В пустых клеточках под рисунком напиши, сколько флажков было нарисовано и сколько флажков ты добавил.

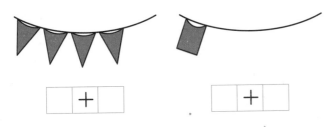

3. Посчитай, сколько кругов в каждом ряду. Раскрась зелёным карандашом белые круги в верхнем ряду.
   Двумя цветами (красным и зелёным) ты показал, как можно получить число 5.

5 — состоит из 1 и 4. Впиши цифру 4 в пустое «окошко». Раскрась зелёным карандашом белые круги в каждом ряду. Объясни, как можно по-разному составить число 5. Заполни пустые «окошки». Запомни состав числа 5.

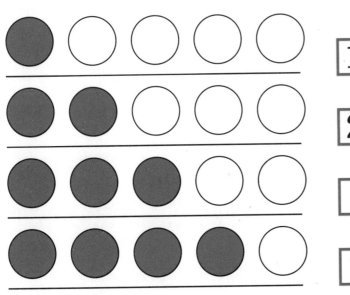

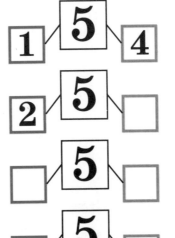

**Запомни!**

5 — это 1 и ещё 4.

5 — это 2 и ещё 3.

5 — это 3 и ещё 2.

5 — это 4 и ещё 1.

4. Рассмотри рисунки и составь записи.

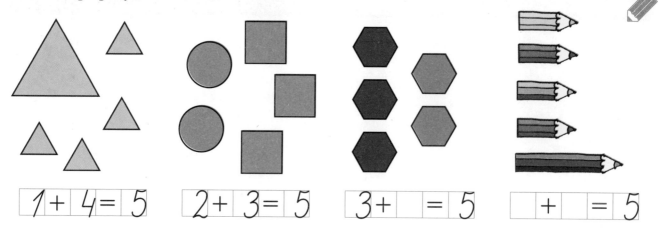

| 1 + 4 = 5 | 2 + 3 = 5 | 3 + = 5 | + = 5 |

5. Найди «лишний» предмет в каждом ряду.

1. Сделай так, чтобы в каждой коробке было по 6 кубиков.

Запиши, сколько кубиков было и сколько ты добавил.

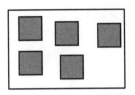 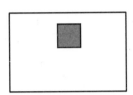 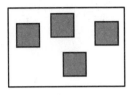 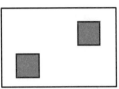 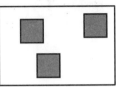

2. Запиши числа в пустые «окошки». Объясни, как можно получить число 6 по-разному. Запомни состав числа 6.

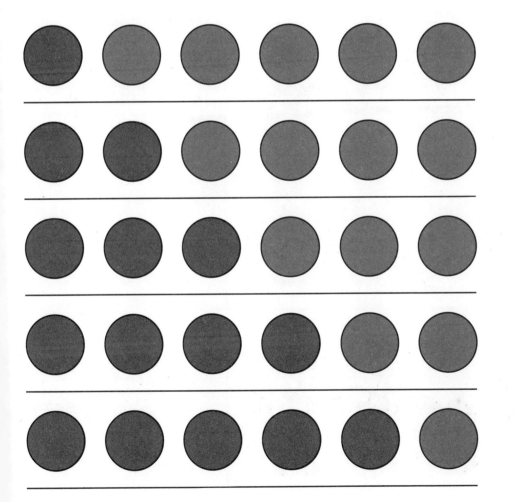

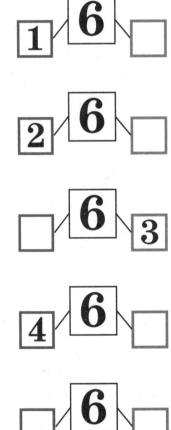

3. Помоги Вите найти дорогу домой.

4. Запиши в пустые клеточки нужные числа.

| | + | | = | 6 |

| | + | | = | 6 |

| | + | | = | 6 |

5. Покажи, какая свеча была сначала, какой она стала потом. Пронумеруй рисунки.

6. Запиши в пустые клеточки нужные числа.

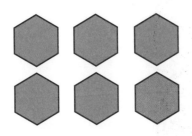 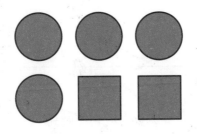 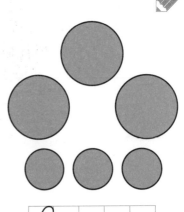

6 − 5 = 1    6 − 4 =        6 −    =

6 − 1 =      6 − 2 =

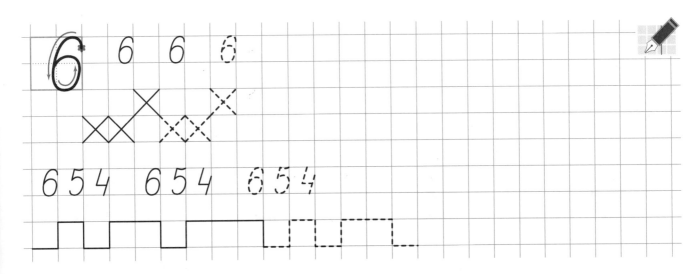

193

1. Назови числа по порядку:
   — от 3 до 9;
   — от 9 до 1;
   — от 6 до 2.

   Назови числа от 1 до 10 так: одно число произнеси тихо, другое громко, следующее опять тихо...

3 — это 1 и ещё сколько?
4 — это 2 и ещё сколько?

Сколько кругов надо добавить к трём квадратам, чтобы фигур стало шесть?

2. Как Вите и Кате поделить пять конфет?
   Придумай разные способы.

3. Сравни числа и поставь нужные знаки.

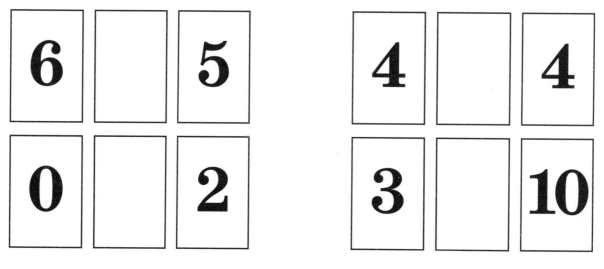

4. Чего здесь больше — овалов или ромбов?

 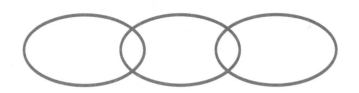

5. Покажи состав числа 6, используя карандаши зелёного и жёлтого цветов. Начинай раскрашивать треугольники в каждом ряду зелёным карандашом.

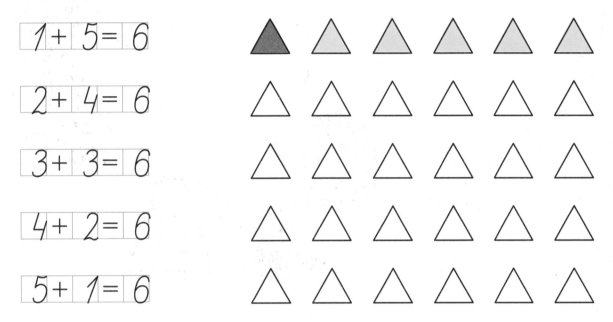

$$1 + 5 = 6$$
$$2 + 4 = 6$$
$$3 + 3 = 6$$
$$4 + 2 = 6$$
$$5 + 1 = 6$$

6. Всего у Вити 6 пуговиц. Он прячет часть пуговиц в левой руке, а оставшиеся показывает Кате. Помоги Кате узнать, сколько пуговиц прячет Витя.

 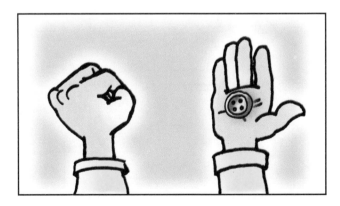

7. Давай узнаем, что тяжелее — яблоко или книга?

Для этого нам понадобятся весы. Весы похожи на качели. Тяжёлый предмет давит сильнее, чем лёгкий, и поэтому чаша весов с тяжёлым предметом опускается ниже.

Определи по картинкам, что тяжелее:
— яблоко или книга;
— книга или банка с вареньем?
Кто легче — Витя или Катя?

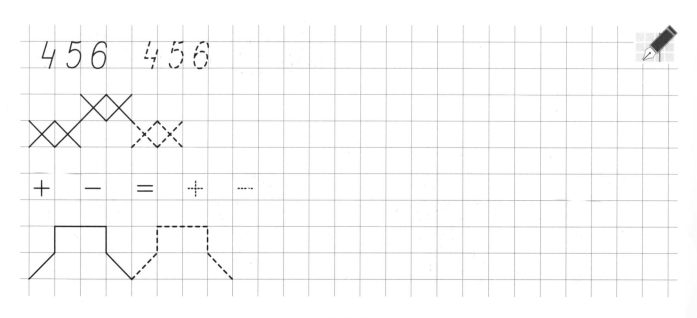

1. Катя положила по порядку карточки с числами от 1 до 10. Некоторые карточки Катя перевернула. Угадай, что написано на перевёрнутых карточках.

Назови число, следующее при счёте: за числом 2; за числом 4; за числом 5; за числом 9.

Назови число, которое при счёте идёт: перед числом 2; перед числом 7.

Назови предыдущее число для числа 10.

| 1 | 2 | | | 5 | | | | 9 | 10 |

2. Кто стоит перед медвежонком?
Кто стоит после котёнка?
Кто стоит следующим за щенком?

3. Сколько игроков стояло слева?
Сколько игроков к ним подошли?
Сколько игроков стало?

$$4 + 1 = 5$$

Сколько игроков будет стоять слева, когда к ним подойдёт поросёнок?

$$5 + 1 = 6$$

Сколько игроков будет, когда к ним подойдёт медвежонок?

$$6 + 1 = 7$$

**Запомни**: когда мы к числу прибавляем 1, получаем следующее число.

197

4. Заполни пустые клеточки.

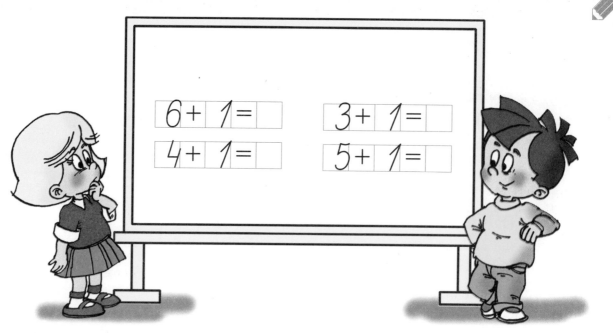

$6 + 1 =$ ☐    $3 + 1 =$ ☐
$4 + 1 =$ ☐    $5 + 1 =$ ☐

5. Рассмотри рисунок. Сколько квадратов в каждом ряду? Запиши в пустые «окошки» нужные числа.

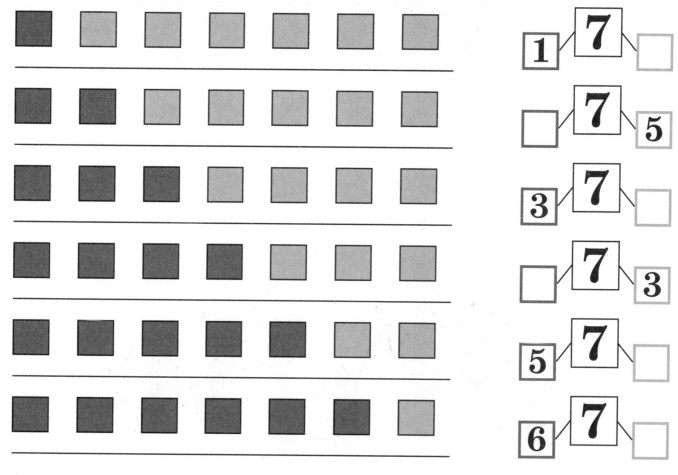

6. Запиши в пустые клеточки нужные числа.

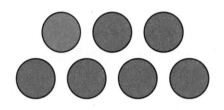
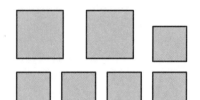
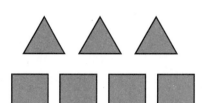

$1 + \boxed{\phantom{0}} = 7$    $2 + \boxed{\phantom{0}} = 7$    $3 + \boxed{\phantom{0}} = 7$

$6 + \boxed{\phantom{0}} = 7$    $\boxed{\phantom{0}} + 2 = 7$    $\boxed{\phantom{0}} + \boxed{\phantom{0}} = 7$

7. Найди 7 отличий.

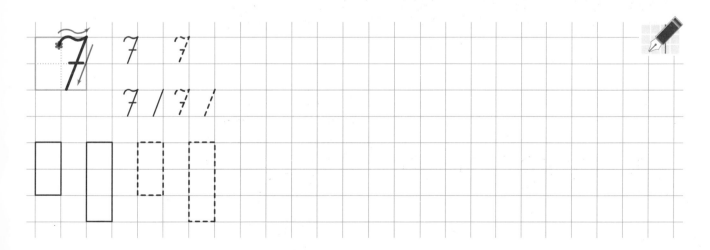

199

1. Назови числа по порядку:
   — от 1 до 10;
   — от 10 до 1;
   — от 5 до 2.

   Назови число, следующее при счёте: за числом 3; за числом 6; за числом 8.

   Назови число, которое при счёте идёт: перед числом 3; перед числом 10.

   Назови число, которое является предыдущим для числа 6.

   Прибавь: к шести один; к восьми один; к девяти один.

2. Сделай так, чтобы в каждой корзине было по 8 слив.

   Запиши, сколько слив было нарисовано и сколько слив ты добавил.

3. Составь примеры.

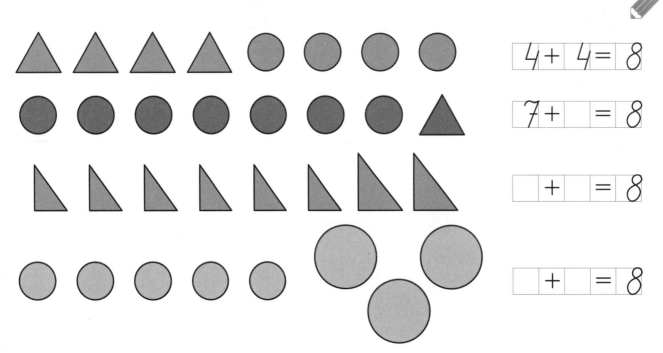

$$4 + 4 = 8$$

$$7 + \quad = 8$$

$$\quad + \quad = 8$$

$$\quad + \quad = 8$$

4. Сравни числа, положи карточки со знаками «>», «<», «=». Прочитай записи.

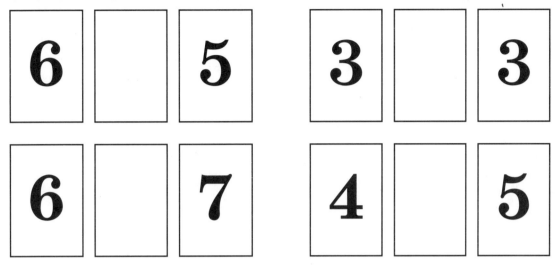

5. Какая шапка должна быть нарисована в пустом «окошке».

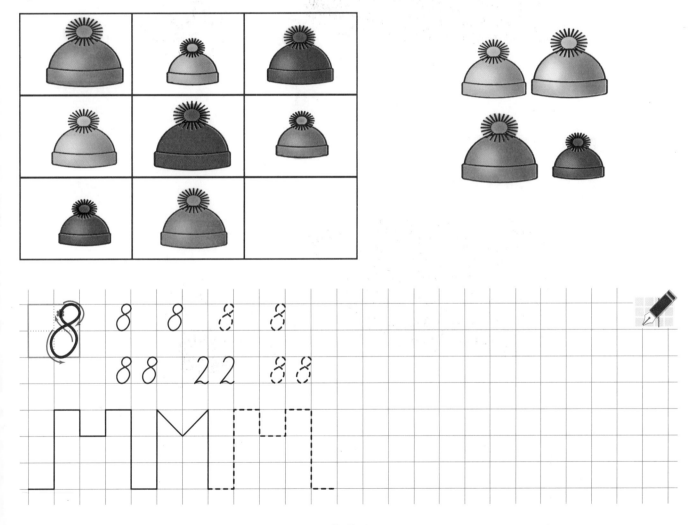

1. Назови число, следующее при счёте: за числом 4; за числом 5; за числом 7.

Назови число, которое при счёте идёт: перед числом 7; перед числом 5.

2. Сколько игроков на рисунке?

Кто стоит первым?

Кто пятый по счёту?

Сколько игроков стало, когда пятый ушёл?

Ты заметил, что получилось число, которое называют при счёте перед числом 5 (предыдущее для числа 5)?

$$5 - 1 = 4$$

3. Посчитай, сколько зверей теперь.

Сколько их станет после того, как четвёртый игрок уйдёт?

$$4 - 1 = 3$$

**Запомни**: если из числа вычесть 1, получится предыдущее число.

4. Запиши нужные числа.

$7 - 1 = \boxed{\phantom{0}}$   $6 - 1 = \boxed{\phantom{0}}$   $7 + 1 = \boxed{\phantom{0}}$

$9 - 1 = \boxed{\phantom{0}}$   $2 + 1 = \boxed{\phantom{0}}$   $3 + 1 = \boxed{\phantom{0}}$

5. Составь примеры и запиши их.

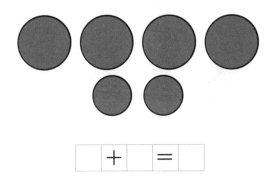   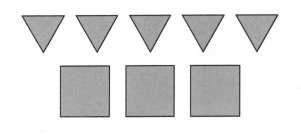

$\boxed{\phantom{0}} + \boxed{\phantom{0}} = \boxed{\phantom{0}}$   $\boxed{\phantom{0}} + \boxed{\phantom{0}} = \boxed{\phantom{0}}$

6. Реши примеры и помоги зайчику добраться до морковки.

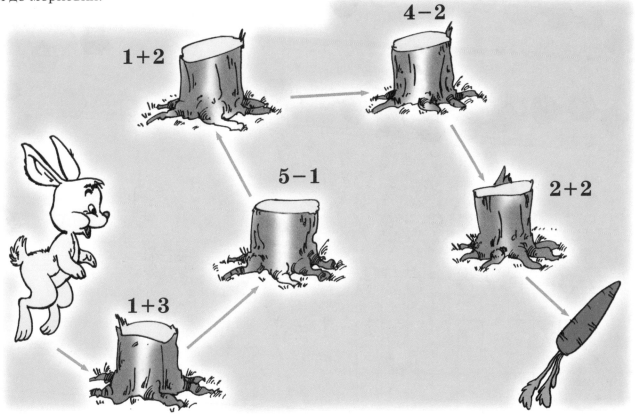

7. Катя сложила вчетверо лист бумаги и вырезала части листа. Угадай, какая салфетка получилась, когда Катя развернула лист.

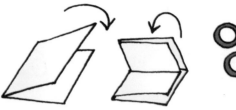 

 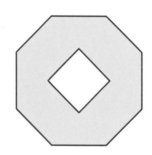 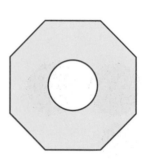 

8. Какие бусинки потерялись?

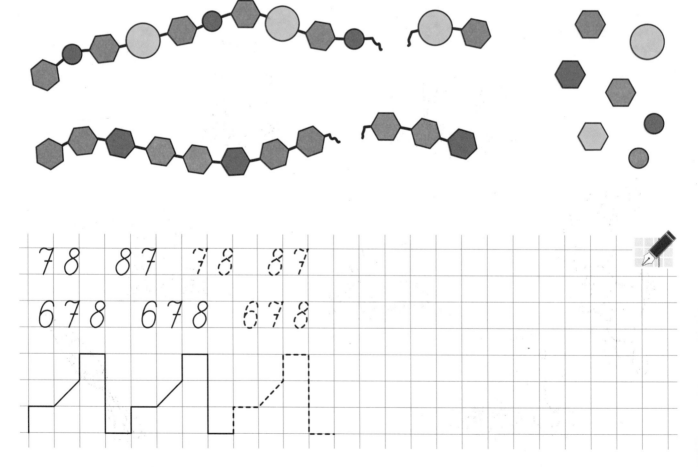

1. Сколько нужно добавить к двум, чтобы получилось четыре?

Сколько нужно добавить к трём, чтобы получилось четыре?

Сколько хвостов у трёх котов?

Сколько лапок у воробья? Сколько лапок у двух воробьёв? Сколько лапок у трёх воробьёв?

Как можно по-разному поделить 4 груши между двумя мальчиками?

2. Рассмотри рисунок. Запиши в пустые «окошки» нужные числа.

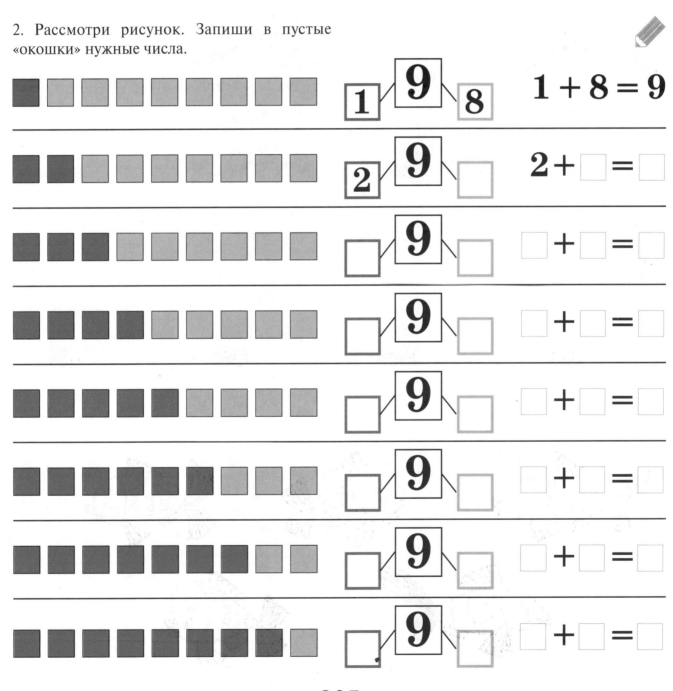

3. Чего больше — кругов или прямоугольников?

4. В уголках рисунков напиши цифры, пока-
зывающие, в каком порядке надо расставить
картинки.

   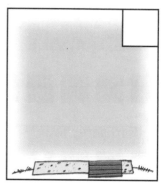

5. Найди две одинаковые рыбки.

206

6. Положи в пустые «окошки» карточки с нужными цифрами.

$$4-1=\boxed{\phantom{0}}$$   $$9+1=\boxed{\phantom{0}}$$

$$8+1=\boxed{\phantom{0}}$$   $$8-1=\boxed{\phantom{0}}$$

7. Кто легче всех?

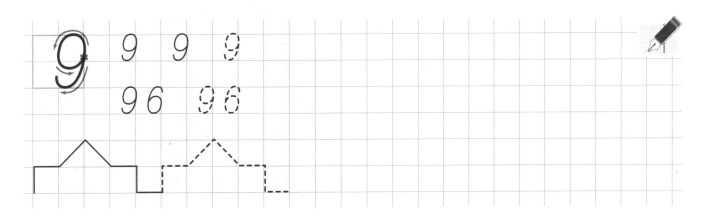

# Состав числа 10.

1. Назови числа по порядку:
   — от 1 до 10;
   — от 5 до 9;
   — от 9 до 6;
   — от 8 до 4.
   Назови «соседей» числа 6, «соседей» числа 8.

2. Запиши нужные числа.

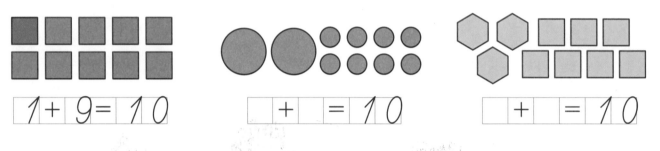

$$1 + 9 = 10 \qquad \square + \square = 10 \qquad \square + \square = 10$$

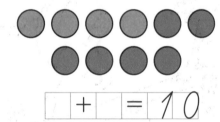
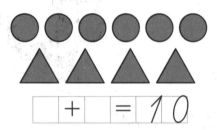

$$\square + \square = 10 \qquad \square + \square = 10$$

3. Посмотри на рисунок и назови имя каждого мальчика. Мы знаем, что Коля стоит слева от Васи, Антон стоит справа от Васи.

4. У Кати 5 орехов.

Катя прячет часть орехов в правой руке. Остальные орехи она показывает тебе.

Угадай, сколько орехов прячет Катя.

5. Покажи матрёшек от самой маленькой до самой большой по порядку.

6. Сравни числа. Положи карточки со знаками «>», «<», «=».

Прочитай записи.

209

7. Найди «лишний» рисунок в каждом ряду.

8. Реши примеры и запиши нужные числа.

$7-1=\square$    $5-1=\square$    $4+1=\square$    $6+1=\square$

$6-1=\square$    $4-1=\square$    $5+1=\square$    $7+1=\square$

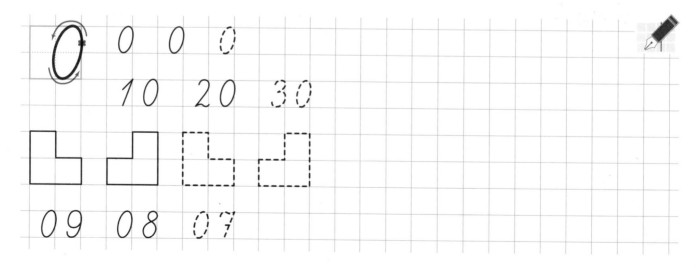

1. Соедини точки с числами по порядку, начиная с числа 1.

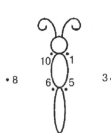

2. К Кате пришли гости и принесли ей цветы. Рассмотри рисунки и сделай записи.

3 + 1 =

4 + 1 =

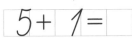

5 + 1 =

6 + 1 =

3. Катя поблагодарила друзей и решила подарить им шарики.

$5 - 1 =$

$4 - 1 =$

$3 - 1 =$

$2 - 1 =$

4. Помоги Вите перейти на другой берег.

3+1   6+1   9+1   4−1   6−1   7−1   9−1

5. Прочитай запись рядом с гнездом. Сосчитай, сколько получится. Найди это число. На чьей шапочке оно написано? Значит, в гнезде живёт синичка. Узнай, кто где живёт.

01 0011 000111

2345 2345

6789 6789

Вот и закончилась наша книга.
Наверное тебе понравилось считать, угадывать,
раскрашивать и рисовать. Постарайся не забыть то интересное
и полезное, что встретилось тебе на этих страницах.
Вите и Кате немного жаль расставаться с тобой.
Но, может быть, они будут учиться в твоём классе,
и ты встретишь их, когда отправишься в школу.

### *До свидания!*

# СОДЕРЖАНИЕ

*Учебное издание*

**Наталья Николаевна Павлова**

# ГОТОВИМСЯ К ШКОЛЕ

*Художники*
*Елена Владимировна Гальдяева*
*Пётр Алексеевич Северцов*

Редактор *Н.В. Тегипко*
Серийное оформление *И.Г. Сауков*
Дизайн обложки *А.А. Кучерова*
Художественный редактор *Е.В. Брынчик*
Технический редактор *В.А. Позднякова*
Компьютерная вёрстка *В.А. Коротаева, Л.Ю. Молчанов*
Компьютерная обработка *С.О. Серёгин*

ЗАО «Издательство «ЭКСМО-Пресс»,
125190, Москва, Ленинградский проспект,
д. 80, корп. 16, подъезд 3.

Изд. лиц. № 065377 от 22.08.97.

Налоговая льгота – общероссийский классификатор
продукции ОК-005-93, том 2; 953000 – книги, брошюры.

Подписано в печать 13.04.2001. Формат 60×84/8.
Бумага офсетная. Печать офсетная.
Усл. печ. л. 25,11. Доп. тираж 7000 экз. Заказ 6622.

АООТ «Тверской полиграфический комбинат»
170024, г. Тверь, пр-т Ленина, 5.